3e cycle 1

# Cahier d'apprentissage

## 5e année

Michel Lyons et Robert Lyons

Chenelière
Éducation

**Défi mathématique 3e cycle, 1**
Cahier d'apprentissage, 5e année

Michel Lyons et Robert Lyons

© 2003 Les Éditions de la Chenelière inc.

*Éditrice :* Maryse Bérubé
*Coordination :* Denis Fallu
*Révision linguistique :* Marie Chalouh
*Correction d'épreuves :* Pierra Vernex
*Illustrations :* Norman Lavoie, Sylvie Nadon et Yvon Roy
*Conception graphique :* Norman Lavoie
*Infographie :* Norman Lavoie et Julie Leclerc
*Couverture :* Catherine Bouchard et Marc Leblanc

**Remerciements**

Cette édition de *Défi mathématique* résulte de la collaboration de nombreuses personnes qui ont mis en commun leur compétence. Nous ne pouvons les nommer toutes ici, mais nous tenons à leur exprimer notre reconnaissance face à leur engagement. Parmi elles, nous désirons toutefois mentionner Ginette Poitras, Serge Girard et Michel Solis qui, depuis près de 20 ans, nous ont appuyés sans relâche.

Enfin, merci à Françoise Loranger, Manon Beauregard et Ginette Beaudry qui ont bien voulu lire et commenter la présente édition de *Défi mathématique*.

Michel Lyons et Robert Lyons

**Chenelière Éducation**

7001, boul. Saint-Laurent
Montréal (Québec)
Canada H2S 3E3
Téléphone : (514) 273-1066
Télécopieur : (514) 276-0324
info@cheneliere-education.ca

**ISBN 2-7651-0151-5**

Dépôt légal : 2e trimestre 2003
Bibliothèque nationale du Québec
Bibliothèque nationale du Canada

Imprimé au Canada

3 4 5   ITIB   07 06 05 04

Nous reconnaissons l'aide financière du gouvernement du Canada par l'entremise du Programme d'aide au développement de l'industrie de l'édition (PADIÉ) pour nos activités d'édition.

Gouvernement du Québec – Programme de crédit d'impôt pour l'édition de livres – Gestion SODEC

DANGER
LE PHOTOCOPILLAGE TUE LE LIVRE

# Table des matières

# Un défi pour toi

C'est l'heure du souper.
Un problème se pose...
Qu'est-ce qu'on mange?

Caboche imagine plusieurs possibilités.

Troublefête rassemble tous
les ingrédients nécessaires.
Il réunit plats et ustensiles.

Papyrus lit attentivement
la recette.

D3D4 mesure toutes les
quantités avec précision.

Et Domino qui s'en promet!

## Quand tu résous un problème...

Tout comme Caboche, tu peux imaginer des pistes de solution.

La logique de Troublefête est une force que tu possèdes aussi
et qui peut grandir.

En apprenant à être aussi efficace que Papyrus et D3D4,
tu deviendras l'as des as de la résolution de problèmes.

Et comme Domino, tu y prendras sûrement beaucoup de plaisir!

Nous te souhaitons une belle année en leur compagnie.

*Michel et Robert*

# Logique

La logique est la science
de l'argumentation objective.

Pour bien communiquer ses idées
en mathématiques, il faut s'expliquer
clairement et bien écouter les autres.

*Je m'appelle
Troublefête. Découvre
avec moi le pouvoir de
la pensée logique !*

*Je m'appelle D3D4.
Découvre avec moi
le goût du travail
efficace !*

*Je m'appelle Domino.
Découvre avec moi le
plaisir de faire des
maths !*

# Casse-tête et plaisir assuré...

Au pays des Sans-Atout, tout devient objet d'énigme logique. C'est pourquoi Troublefête ne rate jamais l'occasion d'y faire un petit voyage d'agrément...

Le dernier-né des jeux des Sans-Atout s'appelle PARKING. Pour y jouer, imagine un terrain de stationnement carré comptant exactement 36 cases.

Quatre véhicules occupant respectivement 1, 2, 3 et 4 cases y sont garés en tenant compte des règles suivantes :

- deux cases occupées par des véhicules différents ne peuvent se toucher d'aucune façon ;

- les nombres placés à l'horizontale et à la verticale indiquent combien de cases sont entièrement occupées dans la rangée ou dans la colonne correspondante.

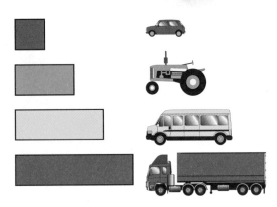

*Les quatre véhicules*

 Observe l'*exemple 1*.

Quels nombres manquent au bas des colonnes ?

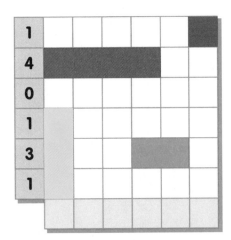

*Exemple 1*

 Observe l'*exemple 2*.

a) Trouve la position de l'autobus en éliminant toutes les autres possibilités.

b) Trouve la position du tracteur en éliminant toutes les autres possibilités.

c) La solution trouvée est-elle unique ?

*Exemple 2*

# ... au pays des Sans-Atout

Au pays des Sans-Atout, les touristes qui aiment les énigmes se rendent nombreux au village des Basses.

 **3** Troublefête demande des renseignements. Il aimerait visiter des amis. Sur la carte, fais une croix là où demeurent les amis de Troublefête.

POUR LES AS

*Ce n'est pas dans le quartier nord-est ni sur un bord. Et ce n'est pas dans la moitié sud non plus...*

**4** Ajoute les points cardinaux qui manquent sur la carte de Troublefête.

**5** Entoure une maison située :

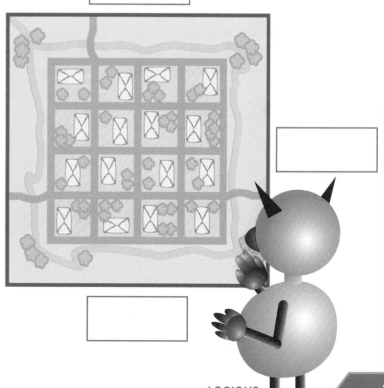

**Nord**

**a)** sur le bord de la rivière Sud ;

**b)** au centre du village ;

**c)** au coin où se rencontrent les rivières Sud et Est ;

**d)** dans la moitié ouest, mais pas dans le quartier sud-ouest ;

**e)** sur le bord de la rivière Ouest, au sud d'un coin.

LOGIQUE

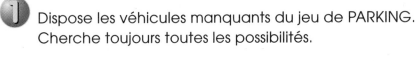

## 1 Dispose les véhicules manquants du jeu de PARKING.
Cherche toujours toutes les possibilités.

**a)**

| 0 | | | | | | |
|---|---|---|---|---|---|---|
| 4 | | | | | | |
| 0 | | | | | | |
| 1 | | | | | | |
| 4 | | | | | | |
| 1 | | | | | | |
| | **1** | **1** | **4** | **1** | **2** | **1** |

**b)**

| 2 | | | | | | |
|---|---|---|---|---|---|---|
| 1 | | | | | | |
| 2 | | | | | | |
| 1 | | | | | | |
| 3 | | | | | | |
| 1 | | | | | | |
| | **4** | **1** | **0** | **4** | **1** | **0** |

**c)**

| 2 | | | | | | |
|---|---|---|---|---|---|---|
| 2 | | | | | | |
| 1 | | | | | | |
| 0 | | | | | | |
| 4 | | | | | | |
| 1 | | | | | | |
| | **4** | **0** | **1** | **1** | **3** | **1** |

**d)**

| 3 | | | | | | |
|---|---|---|---|---|---|---|
| 0 | | | | | | |
| 1 | | | | | | |
| 1 | | | | | | |
| 0 | | | | | | |
| 5 | | | | | | |
| | **1** | **2** | **2** | **4** | **0** | **1** |

**e)**

| 3 | | | | | | |
|---|---|---|---|---|---|---|
| 1 | | | | | | |
| 2 | | | | | | |
| 0 | | | | | | |
| 4 | | | | | | |
| 0 | | | | | | |
| | **1** | **2** | **2** | **1** | **4** | **0** |

**f)**

| 3 | | | | | | |
|---|---|---|---|---|---|---|
| 1 | | | | | | |
| 2 | | | | | | |
| 1 | | | | | | |
| 0 | | | | | | |
| 3 | | | | | | |
| | **2** | **1** | **5** | **0** | **1** | **1** |

Fiche complémentaire *Logique* 2

**1** Voici des cas plus difficiles du jeu de PARKING.
Prouve toutes tes réponses.

**a)**

| 5 | | | | | | |
|---|---|---|---|---|---|---|
| 1 | | | | | | |
| 3 | | | | | | |
| 1 | | | | | | |
| 0 | | | | | | |
| 0 | | | | | | |
| | 1 | 2 | 1 | 3 | 0 | 3 |

**b)**

| 1 | | | | | | |
|---|---|---|---|---|---|---|
| 0 | | | | | | |
| 5 | | | | | | |
| 1 | | | | | | |
| 2 | | | | | | |
| 1 | | | | | | |
| | 3 | 0 | 3 | 1 | 2 | 1 |

**c)**

| 5 | | | | | | |
|---|---|---|---|---|---|---|
| 1 | | | | | | |
| 2 | | | | | | |
| 1 | | | | | | |
| 0 | | | | | | |
| 1 | | | | | | |
| | 3 | 1 | 1 | 1 | 0 | 4 |

**d)**

| 0 | | | | | | |
|---|---|---|---|---|---|---|
| 1 | | | | | | |
| 4 | | | | | | |
| 1 | | | | | | |
| 3 | | | | | | |
| 1 | | | | | | |
| | 3 | 1 | 2 | 0 | 4 | 0 |

**e)**

| 1 | | | | | | |
|---|---|---|---|---|---|---|
| 2 | | | | | | |
| 2 | | | | | | |
| 1 | | | | | | |
| 4 | | | | | | |
| 0 | | | | | | |
| | 1 | 0 | 4 | 0 | 4 | 1 |

**2** À ton tour d'inventer un problème du jeu de PARKING. Deviens mini-prof et assure-toi que la solution de ton problème est unique.

Soumets ensuite ton oeuvre à quelques camarades. Si possible, compose ton problème à l'aide d'un logiciel de dessin.

Fiche complémentaire *Logique* 2

**1** Dispose les neuf cartes illustrées ci-contre dans les maisons du village.
Suis l'ordre des indices pour placer une carte à la fois.

*Réchauffe-toi !*

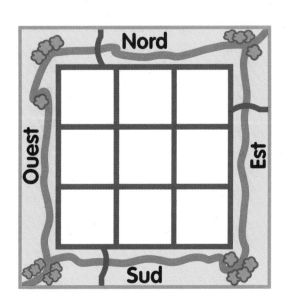

**a)** Le 3 ♦ est dans le coin sud-ouest.

Le 4 ♣ est au centre.

Le 4 ♥ est au sud du 4 ♣.

Le 2 ♦ est sur le bord sud.

Le 4 ♦ est dans un coin du bord est.

Le 3 ♥ est entre deux ♦ .

Il y a deux 3 qui sont dans un coin.

Le 2 ♣ n'est pas à l'ouest d'un 3.

**b)** Le 4 ♦ n'est pas sur un bord.

Le 2 ♣ est à l'ouest du 4 ♦ .

Le 3 ♥ est au sud du 2 ♣ .

Le 3 ♣ est sur le bord ouest.

Le 2 ♦ est dans un coin du bord nord.

Il y a deux 2 qui sont dans un coin.

Aucun 4 n'est voisin du 3 ♥ .

Aucun ♣ n'est entre deux 2.

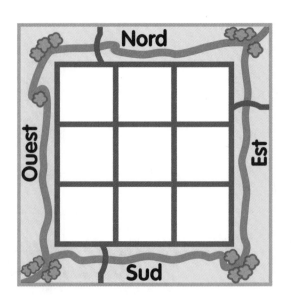

Dispose les cartes de la page Logique A-5 dans les maisons du village.
Les indices sont maintenant placés en désordre.
Prévois toutes les possibilités.

**a)** Le 2 ♦ touche à deux ♥.

Le 3 ♦ est à l'ouest du 2 ♥.

Le 4 ♦ est dans un coin du bord est.

Le 2 ♣ est dans un coin.

Le 3 ♣ est au centre.

Le 4 ♣ n'est pas voisin d'un 2.

Le 2 ♥ est au sud du 3 ♣.

Le 3 ♥ est sur le bord sud.

Le 4 ♥ est voisin de deux ♣.

**b)** Le 2 ♦ est dans un coin du bord est.

Le 3 ♦ touche à tous les coins.

Le 4 ♦ est à l'ouest d'un 2.

Le 2 ♣ est au nord du centre.

Le 3 ♣ n'est au sud d'aucune carte.

Le 4 ♣ touche à tous les ♦.

Le 2 ♥ n'est pas entre deux rouges.

Le 3 ♥ n'est pas voisin d'un coin.

Le 4 ♥ est à l'ouest du coin nord-est.

**c)** Le 2 ♦ touche à tous les ♣.

Le 3 ♦ est au nord d'un 2.

Le 4 ♦ est à l'ouest du 2 ♣.

Le 2 ♣ est voisin du coin sud-ouest.

Le 3 ♣ est voisin de deux 2.

Le 4 ♣ est immédiatement au sud du 3 ♥.

Le 2 ♥ est sur le bord sud.

Le 3 ♥ est au coin nord-ouest.

Le 4 ♥ n'est pas entre deux 3.

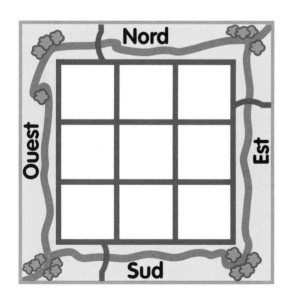

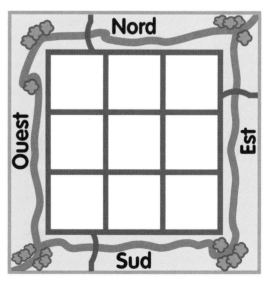

**1** Dispose les cartes dans les maisons du village en suivant les indices. Prévois toutes les possibilités.

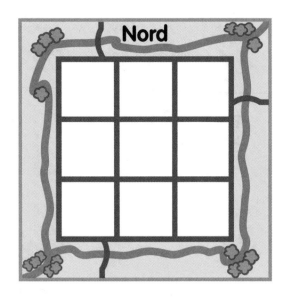

**a)** Le 2 ♦ est sur le bord ouest.

Le 3 ♦ n'est pas sur un bord.

Le 2 ♣ est au sud d'un ♥, sur le bord ouest.

Le 3 ♥ est à l'ouest d'un 3 rouge.

Il y a un ♦ entre deux ♥.

Aucun 4 n'est voisin du 2 ♣.

Un 3 est au nord de deux rouges.

Il y a un 3 dans le coin nord-est.

**b)** Le 4 ♦ est voisin d'un 3.

Le 3 ♣ est sur le bord sud, mais pas dans le coin situé à l'ouest.

Le 4 ♣ est entre deux 3.

Le 2 ♥ est dans le coin sud-est.

Le 3 ♥ est au nord du 3 ♣, mais n'est pas son voisin.

Chaque ♣ est voisin d'un 3.

Aucun ♦ n'est à l'est du 4 ♣.

Il y a un ♣ à l'est du 3 ♥.

**c)** Il y a un ♦ au coin sud-est.

Aucun ♣ n'est dans un coin.

Le 4 ♦ touche aux quatre coins.

Un 2 est voisin de deux 4.

Il y a un 4 au coin nord-est.

Aucun ♦ n'est au nord d'un ♦.

Il y a un 3 entre deux 2.

Les 3 rouges sont sur le bord nord.

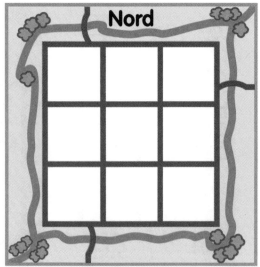

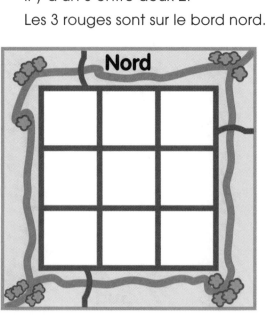

Dispose les cartes de la page Logique A-7 dans les maisons du village en suivant les indices. Prévois toutes les possibilités.

**a)** Le 4 ♥ n'est pas au nord d'un coin.

Aucun ♣ n'est à l'est du 2 ♦.

Tous les 3 sont sur le bord est.

Chaque ♣ est voisin d'un 4.

Tous les ♥ sont sur le bord nord.

Il y a un 2 rouge au coin sud-ouest.

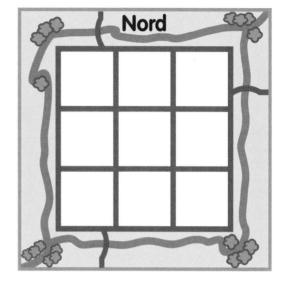

**b)** Le 2 ♣ n'est pas au nord d'un 2.

Le 3 ♣ est entre le 2 ♥ et un ♣.

Le 2 ♥ est sur le bord est, mais pas dans un coin.

Le 3 ♥ n'est pas à l'ouest d'un ♦.

Le 4 ♥ est au sud d'un ♣.

Il n'y a pas de 2 sur le bord ouest.

Aucun 4 n'est dans un coin.

**c)** Le 4 ♦ est sur le bord sud.

Le 2 ♣ n'est pas sur le bord ouest.

Le 2 ♥ est au nord du coin sud-est.

Aucun ♦ n'est au nord d'un coin.

Il y a un 3 rouge à l'est du 2 ♦.

Les ♣ sont dans des coins.

Il y a un 4 qui n'est pas voisin d'un 4.

Il y a un 2 rouge au centre.

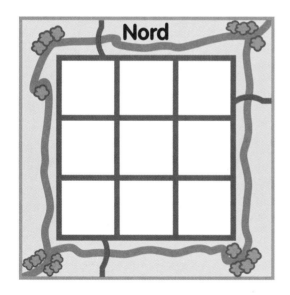

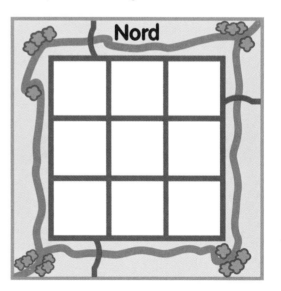

# Bien étudier le terrain...

Jouer contre l'ordinateur oblige à mieux comprendre la phase du jeu appelée *ouverture*. C'est souvent durant les 10 premiers coups que la machine prend un avantage qui devient décisif.

Mieux jouer l'ouverture suppose une étude attentive du terrain où se déroule la partie d'échecs. On découvre alors que les cases n'ont pas toutes la même valeur stratégique...

**1** Si on offrait à un as du jeu d'échecs le choix de placer un fou dans l'une des deux cases encadrées ci-dessous, sa décision serait facile à prendre.

**2** Le *diagramme stratégique* d'une pièce permet de visualiser la valeur relative de chaque case de l'échiquier. Un fou placé en d3 contrôle exactement 11 cases.

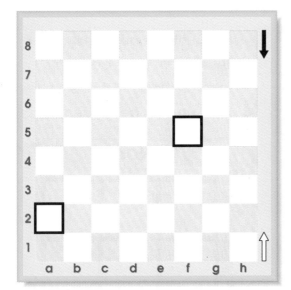

**a)** Selon toi, quelle case serait choisie ? _____

**b)** Pourquoi ? _____

_____

**a)** Colorie en jaune 3 autres cases où un fou contrôle exactement 11 cases.

**b)** Combien de cases sont contrôlées par un fou en d7 ? _____

# ... pour une ouverture réussie

**3** Tous les diagrammes stratégiques que tu as construits ont 4 axes de symétrie, comme le carré que constitue l'échiquier.

**a)** Dans le diagramme ci-contre, note combien de cases sont contrôlées par un cavalier placé dans chacune des cases encadrées. En te référant à l'échelle ci-dessous, colorie ces cases en fonction de leur importance stratégique.

**b)** Par symétrie, complète ensuite le diagramme stratégique du cavalier.

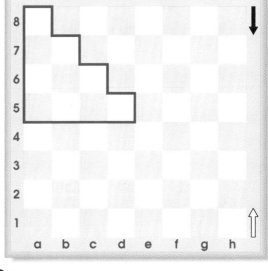

*Échelle d'importance stratégique*

**4** En équipe de deux, trouvez combien il faut de coups, au minimum, à chaque pièce blanche pour se rendre dans l'une des 4 cases centrales. Note-les dans le tableau ci-contre.

Ce tableau indique, *grosso modo*, l'ordre que tu devrais suivre pour déployer tes pièces au moment de l'ouverture.

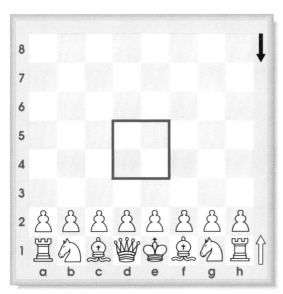

| Pièces | Coups |
|---|---|
| ♟ a, b, c, f, g, h | ✕ |
| ♟ d, e | |
| ♖ | |
| ♘ | |
| ♗ | |
| ♕ | |
| ♔ | |

1. C'est aux blancs de jouer. Ils ont le trait.
Sont-ils **MAT**? Sont-ils **PAT**?
S'ils peuvent **JOUER,** note leur coup.

**a)**

MAT ☐    PAT ☐    JOUER _____

**b)**

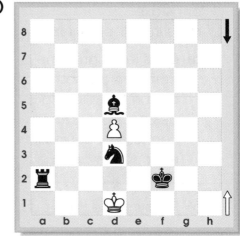

MAT ☐    PAT ☐    JOUER _____

**c)**

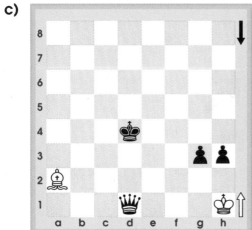

MAT ☐    PAT ☐    JOUER _____

**d)**

MAT ☐    PAT ☐    JOUER _____

**e)**

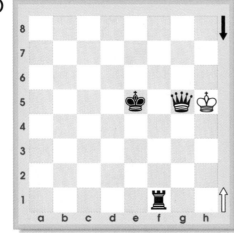

MAT ☐    PAT ☐    JOUER _____

**f)**

MAT ☐    PAT ☐    JOUER _____

**1** Le roi noir a été retiré dans chaque diagramme.
Colorie les cases contrôlées par les pièces blanches
et note les coordonnées du roi manquant.

**a)** Les noirs étaient **MAT** : _____

**b)** Les noirs étaient **PAT** : _____

**c)** Les noirs étaient **PAT** : _____

**d)** Les noirs étaient **MAT** : _____

**2** Le tableau ci-contre indique la position des pièces sur
l'échiquier. Les coups décrits ci-dessous permettent
aux noirs de faire le **MAT**. Note le dernier coup.

| Blancs | Noirs |
|--------|-------|
| 1. Txf1 | Dc4+ |
| 2. Ra1 | Dxb4 |
| 3. Tb1 | _____ **MAT** |

1 Résous ces problèmes en équipe.
C'est aux blancs de jouer.
Note le coup qui donne le **MAT.**

a)
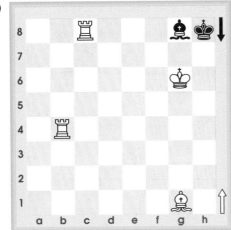

_____ **MAT**

b)
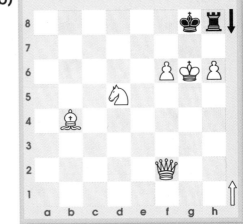

_____ **MAT**

c)
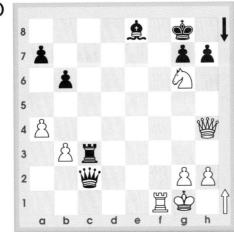

_____ **MAT**

d)

_____ **MAT**

e)

_____ **MAT**

f)

_____ **MAT** ou _____ **MAT**

# Principes d'ouverture

Les pions sont faibles mais nombreux. Ce n'est pas une raison pour les sacrifier inutilement.

Groupés, les pions servent d'abord à protéger les pièces plus fortes.

## CONSEILS : LES PIONS

- Garde tes pions groupés et évite les dentelles.
- Au début, bouge le moins de pions possible (deux ou trois) en visant le centre.

## Une palissade de pions

1. Pendant que les noirs font dans la dentelle, les blancs envahissent le centre. À leur 3ᵉ coup, les blancs vont porter un assaut fatal. Lequel ? _____

## Des cavaliers agiles

2. Les noirs ouvrent très bien leur jeu, tandis que les blancs s'empêtrent... Indique le nombre de cases que chaque cavalier peut atteindre sans risque et compare ces nombres.

 b _____   c _____

h _____   g _____

Le cavalier est la seule pièce qui peut sauter par-dessus une autre.

Cela lui donne une importance considérable en début de partie, sur un échiquier encore encombré.

## CONSEIL : LES CAVALIERS

- Après avoir lancé un ou deux pions vers le centre, amène au moins un cavalier dans les cases encadrées en rouge.

# Principes d'ouverture

Chaque fou ne peut accéder qu'à la moitié des cases de l'échiquier.

Pour être efficace, il lui faut donc de longs couloirs dégagés.

### CONSEILS : LES FOUS

- Ouvre des diagonales pour libérer tes fous.
- Après avoir lancé 1 ou 2 pions et 1 cavalier, amène un fou dans la mêlée.

## Des fous à longue portée

 Contrairement aux noirs, les blancs ont ouvert la voie à leurs fous. Pourquoi le cavalier noir en d7 est-il incapable de bouger, pour l'instant ?

## Un canon de porcelaine

 S'ils jouent Cf6, les noirs vont perdre la partie.

**a)** Quel serait le coup des blancs ? _____ **MAT** (dit *du berger*).

**b)** Avec une ou un camarade, cherche une façon de parer cette attaque trop hâtive.

La dame est la pièce la plus forte du jeu. Les novices ont tendance à la jouer très tôt. Danger !

La dame est trop précieuse pour se risquer dans le trafic dès l'ouverture...

### CONSEIL : LA DAME

- Durant l'ouverture, la dame doit profiter de sa longue portée et rester à l'arrière de ses troupes, au centre.

# Principes d'ouverture

La puissance des tours les empêche de jouer un rôle important au moment de l'ouverture.

Pas question de les faire sortir par les colonnes a et h ! La palissade de pions en souffrirait trop...

## Des géants lourdauds

---

### CONSEILS : LES TOURS

- Les tours s'activent en passant par le centre, bien après les pièces légères (cavaliers et fous).
- Cherche des colonnes ouvertes pour les placer avantageusement.

**1** Les noirs veulent sortir la tour située en h8. Comment les blancs peuvent-ils renverser ce plan, tout en poursuivant une ouverture de qualité ? _____

---

## Le roi dans les courants d'air

**2** Après d'excellents coups d'ouverture de part et d'autre, c'est aux blancs de jouer. Comment peuvent-ils mettre leur roi à l'abri tout en poursuivant un bon développement de leurs pièces ? _____

Le désir de conquête du centre expose le roi à de graves menaces, vu sa position.

Le roque permet à la fois de protéger son roi et d'amener la tour à la rescousse.

### CONSEILS : LE ROI

- Roque le plus tôt possible.
- Si possible, essaie d'empêcher ton adversaire d'en faire autant.

# Principes d'ouverture : résumé

Voici un résumé des principes d'ouverture.
Les as du jeu d'échecs connaissent plusieurs exceptions à ces principes.
Applique-les cependant le plus possible.

**1.** Cherche à envahir ou à contrôler le centre.

**2.** Joue le moins de pions possible.

**3.** Dégage les diagonales pour libérer tes fous.

**4.** Évite de jouer une pièce à répétition.

**5.** Ne bats pas en retraite à la moindre menace.

**6.** Couvre tes pièces par d'autres pièces.

**7.** Fais un développement ordonné de tes pièces.

1 ou 2 pions vers le centre.

Puis, au moins un cavalier.

Ensuite, au moins un fou.

Roque le plus tôt possible.

Laisse la dame tranquille !

Enfin, glisse les tours vers les colonnes ouvertes, au centre.

Après le 7ᵉ coup des blancs, les noirs dominent largement la partie.
Les blancs auraient dû respecter davantage les principes d'ouverture...

En équipe, commentez la position de chaque camp.
Précisez les erreurs les plus flagrantes commises par les blancs.

1 Dans chaque diagramme, encercle le meilleur coup parmi les deux qui te sont proposés. Utilise la notation algébrique. Justifie ton choix.

a)

_____

b)

_____

c)

_____

d)

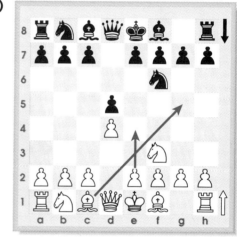

_____

 e)

_____

 f)

_____

B 18

# Petites énigmes...

Grand émoi dans le quartier :
M. Badudeau, le facteur, a été mordu !
Mais puisqu'il n'y a que trois chiens
vivant dans ce quartier, il devrait être
assez facile de savoir lequel a fait
le coup...

*Sois logique et analyse attentivement les conversations...*

*C'est sûrement le terrier qui l'a mordu ! J'ai toujours eu peur de ce chien...*

*Non, madame Belos ! Je parie que le coupable est le chien de monsieur Ducroc. Les bergers sont des bêtes féroces...*

*Quoi ? Mon chien est très doux, madame Laniche. C'est probablement Fido qui l'a attaqué, ou Milou, ce caniche maboul !*

*Rex m'a pourchassé et Fido m'a mordu... Quelle vie de chien !*

1  À partir des indices, remplis d'abord les étiquettes
du tableau de vérité. Résous ensuite l'énigme
en remplissant le tableau. À qui appartient le chien
qui a mordu le facteur ?

*Facile...*

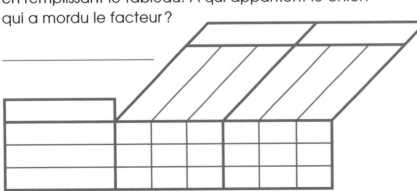

# ... et grands casse-tête !

**2** Cinq familles sont attablées au restaurant chez Fractioné. Chacune a commandé une pizza avec une garniture différente des autres.

Les Martineau ont-ils commandé la pizza au fromage ?

_____

La pizza aux poivrons verts a été commandée entre deux pizzas moyennes.

① 

Les Garcia ont commandé une grande pizza avant que celle aux champignons soit commandée.

② 

La petite pizza a été commandée la dernière. Elle n'était pas garnie aux anchois.

③

La pizza aux champignons a été commandée la deuxième.

④ 

Les Geoffrion ont mangé une pizza qui n'était pas de format moyen.

⑤ 

La pizza au pepperoni a été commandée l'avant-dernière.

⑥

Les Tchang ont commandé une grande pizza juste avant les Poitras.

⑦

*Pas mal plus compliqué !!!*

Au dépanneur Ducoin, 4 personnes achètent aujourd'hui un seul produit chacune.

1 Quel article coûte 8,39 $ et qui l'a acheté ? _____

_____

2 Replace les cadres dans l'ordre chronologique._____

_____

POUR LES AS

① Au revoir, madame Dumas. Bonne journée !

Ce sera 8,19 $, monsieur Dufort. Tiens ! Une nouvelle cliente.

② RABAIS DE LA SEMAINE

③ Demeurez-vous toujours rue Champlain ?

Oui, toujours. Je prends ce poulet.

④ Ce sera 8,49 $.

SPÉCIAUX DE LA SEMAINE

⑤ Très bien. Nous livrerons votre gâteau au 312, rue Frontenac, ce matin.

Au revoir !

⑥ Je viens d'emménager dans le quartier. Je suis madame Chen et je demeure rue Cartier. Au revoir et merci !

SORTIE

⑦ Bonjour, monsieur Duguay ! Désirez-vous acheter un poulet ce matin ?

Non, ce sera plutôt...

⑧ Je demeure toujours tout près d'ici, rue Maisonneuve.

Pour votre achat, ce sera 8,29 $.

Voici deux énigmes logiques sur un même thème. Des jeunes préparent leur hamburger. Sachant que chaque hamburger est différent des autres, quelles garnitures ont été choisies ?

**1** a) Chaque hamburger contient une seule garniture.

b) Sara ou Liliana choisit des tomates.

c) Liliana ou Patty choisit les cornichons.

d) Doris ou Noële met du fromage.

e) Patty met des tomates ou des oignons.

f) Noële ou Sara choisit la moutarde.

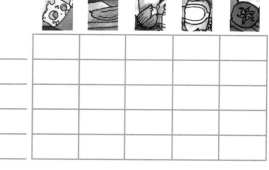

**2** a) Chaque hamburger contient exactement 3 garnitures différentes.

b) Nikola ou Karim ne met pas de fromage.

c) Pedro ou Danick ne met pas de tomates.

d) Danick ou Nikola ne met pas de cornichons.

e) Karim ou Pedro ne met pas de moutarde.

f) Nikola met des cornichons dans son hamburger.

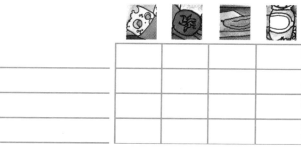

# Les belles d'autrefois

Quatre voitures anciennes sont exposées au salon de l'auto. Qui est propriétaire de chacune d'elles? Remplis les tableaux de vérité pour le savoir.

**a)** La plus vieille voiture n'est pas la Cadillac.

**b)** Daphné possède la voiture de l'année 1940.

**c)** La Peugeot 1935 a gagné le prix du salon de cette année.

**d)** Aïda n'a jamais conduit une Renault.

**e)** Cristel est la soeur de celle qui a une Peugeot et l'amie de celle qui a une voiture de l'année 1941.

**f)** Betsie est fière de sa Jaguar qui n'est pas la voiture ayant été usinée en 1934.

| Cadillac | | | | 19___ | 19___ | 19___ | 19___ |
|---|---|---|---|---|---|---|---|
| _____ | | | | | | | |
| _____ | | | | | | | |
| _____ | | | | | | | |
| _____ | | | | | | | |

**a)** Félix et le propriétaire de la Buick n'avaient jamais vu la voiture de 1933.

**b)** L'auto de l'année 1938 a remporté le prix du salon de l'année dernière.

**c)** Jeffrey n'aime pas la Citroën. Sa voiture date de 1927.

**d)** Zachary, qui n'est pas le propriétaire de la Ford, est le cousin de celui qui a la Dodge 1942.

**e)** La voiture de Joshua est plus vieille que la Citroën.

| Citroën | | | | 19___ | 19___ | 19___ | 19___ |
|---|---|---|---|---|---|---|---|
| _____ | | | | | | | |
| _____ | | | | | | | |
| _____ | | | | | | | |
| _____ | | | | | | | |

Fiche complémentaire *Logique* 22

# Numération

L'histoire du calcul révèle
des procédés de plus en plus efficaces

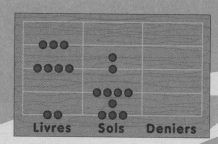

Livres  Sols  Deniers

À sa façon,
chacun des procédés
demande de faire
comme si...

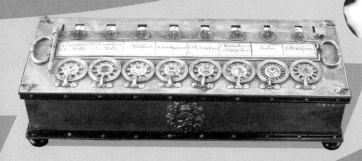

# Comptes primitifs...

Depuis la nuit des temps, les humains ont utilisé
leur corps ou des cailloux pour dénombrer.

Le compte corporel transforme
le sorcier de Nouvelle-Guinée
illustré ci-contre en un véritable
agenda humain.
La marque de peinture rouge
à la cheville indique le nombre
de jours qu'il reste avant
une cérémonie importante.
Explique son procédé.

*Dans plusieurs
langues, des noms de
nombres ressemblent
aux noms des parties
du corps. En persan,
penta veut dire « main »
ou... « cinq ».*

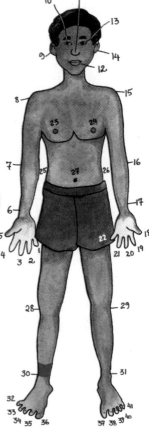

À Sumer, il y a plus de 5 000 ans,
des cailloux d'argile permettaient
de représenter de très grands
nombres. Pour garder trace de
leurs transactions, les comptables
sumériens enfermaient des cailloux
bien spéciaux dans des bulles
d'argile (voir ci-contre).
Observe les représentations
de nombres ci-dessous. Joue
à l'archéologue et découvre
la clé des cailloux sumériens.

**Une bulle sumérienne pour
enfermer un nombre**

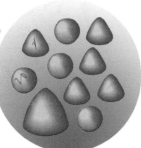

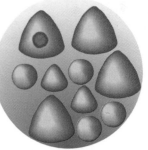

105 chèvres      23 sacs d'orge      822 étoffes de laine

a)  vaut ____10____        b)  vaut ____1____

c)  vaut ____70____        d)  vaut ____570____

*En français,
le mot calcul veut
aussi dire « petit
caillou »...*

# ... et antiques procédés de calcul

Les tables à calcul font partie des plus anciens procédés inventés pour accélérer le calcul.

**3** Sur la table à calcul ci-dessous, une comptable du XVIᵉ siècle a affiché la somme de 3 402 livres et 648 sols (des unités monétaires). À sa manière, affiche 5 094 deniers.

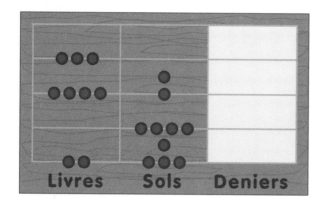

**Livres    Sols    Deniers**

*Comptables du XVIᵉ siècle utilisant la table à calcul*

**4** Autour de l'an 1 000, le moine français Gerbert d'Aurillac, devenu par la suite le pape Sylvestre II, révolutionne le calcul chez les savants en introduisant son superabaque. Pour accélérer le travail, il propose d'utiliser les *apices*, des jetons marqués d'un chiffre.

**a)** Quelle addition est amorcée ci-dessous sur le superabaque de Gerbert ?

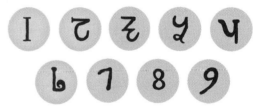

*Les* apices *au temps de Gerbert : dans l'ordre, de 1 à 9*

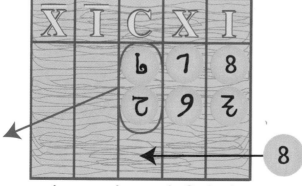

*Le superabaque de Gerbert*

**b)** Utilise ton propre abaque et imagine la suite des manipulations proposées par Gerbert d'Aurillac pour achever l'addition.

**c)** Pour soustraire, Gerbert posait aussi d'abord les deux nombres. Sur ton abaque, effectue 645 – 187 en tentant de procéder comme le faisait le futur pape Sylvestre II.

**3** Les premières numérations utilisant l'addition et la multiplication sont apparues en Asie il y a environ 3 000 ans.

Pratiquement toutes les numérations précédentes ne recouraient qu'à l'addition.

*Le nombre 3 234 dans le système additif égyptien*

**1** Le vieux système chinois utilise les 13 chiffres ci-dessous. Par comparaison, notre système actuel n'utilise que 10 chiffres.

| 1 | 2 | 3 | 4 | 5 | 6 | 7 |
|---|---|---|---|---|---|---|
| 一 | 二 | 三 | 四 | 五 | 大 | 七 |

| 8 | 9 | d | c | m | d·m |
|---|---|---|---|---|---|
| 八 | 九 | 十 | 百 | 千 | 万 |

Observe la traduction des nombres ci-contre.

**a)** Explique le procédé de la numération chinoise. _____

_____

*Voici le nombre 39.*

**b)** À quoi sert la multiplication dans ce système ? _____

_____

*Voici le nombre 256.*

**2** Traduis chaque nombre chinois en notant les additions et les multiplications qui sont sous-entendues.

**a)**

**b)**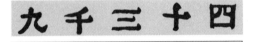

**c)**

**d)**

**3**  À ton tour, maintenant. Dessine les nombres chinois suivants.

**a)** 817

**b)** 3 204

Le compte sur les parties du corps a laissé
des traces dans plusieurs cultures humaines.
En irlandais, en gallois et en breton, le compte
se fait par vingtaines, héritage d'un ancestral
compte sur les doigts et sur les... orteils !

**1** Observe ci-contre le tableau des vingt
premiers nombres irlandais.
La traduction en chiffres comporte
une régularité.

**a)** Note les mots qui manquent et explique
la régularité.

**b)** La numération orale irlandaise utilise
l'addition et la multiplication. Le tableau
ci-dessous présente les nombres de 10
à 100, par bonds de dix.
Complète la traduction qui exprime
la construction orale des nombres
irlandais.

| oin | 1 | oin deec | 11 |
|---:|:---:|---:|:---:|
| | 2 | da deec | 12 |
| tri | 3 | | 13 |
| cethir | 4 | cethir deec | 14 |
| coic | 5 | coic deec | 15 |
| se | 6 | | 16 |
| secht | 7 | secht deec | 17 |
| ocht | 8 | ocht deec | 18 |
| | 9 | noi deec | 19 |
| deich | 10 | fiche | 20 |

| | |
|---:|:---:|
| deich | **10** |
| fiche | **20** |
| deich ar fiche | **10 + 20 = 30** |
| da fiche | **2 x 20 = 40** |
| deich ar da fiche | **10 + (2 x 20) = 50** |
| tri fiche | |
| deich ar tri fiche | |
| ceithri fiche | |
| deich ar ceithri fiche | |
| cet | **100** |

**c)** Comment écrirais-tu
les nombres suivants
en irlandais ?

78 : _____

99 : _____

> *Chaque
> mot-nombre doit
> figurer dans tes
> égalités.*

**2** Dresse des tableaux semblables à ceux
du numéro 1 pour la numération orale
française.

**a)** Quelles régularités vois-tu ? _____

_____

_____

**b)** Traduis à l'aide de phrases
mathématiques les nombres
suivants prononcés en français.

87 : _____

402 : _____

199 : _____

Voici différentes façons de représenter des nombres.

**1** Imagine que chaque cas indique la longueur d'une ficelle, en centimètres.
Quelles sont les longueurs représentées ?
Utilise ta superplanche pour traduire chaque cas.

1 unité ⟷ 1 cm

*Fais comme si...*

a)

| | | |
|---|---|---|
| 50 $ | 100 $ | 1 $ |
| 10 $ | 1 $ | 500 $ |
| 10 $ | 50 $ | 100 $ | 1 $ |
| 10 $ | 20 $ | 5 $ | 5 $ |
| 50 $ | 20 $ | 1 $ | 1 $ |

_____ cm

b)

Deniers

_____ cm

c)

**9 4 6**

_____ cm

d) **5 centaines + 41 dizaines + 46 unités**

_____ cm

e)

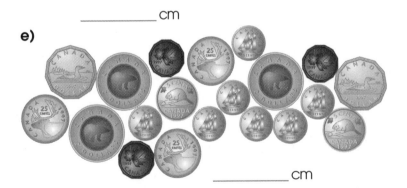

_____ cm

f)

_____ cm

g)

_____ cm

Quel est le nombre représenté sur chaque abaque ?

**a)**

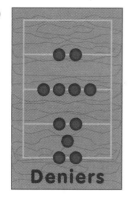

Deniers

_____

**b)**

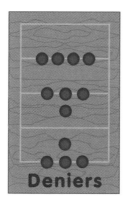

Deniers

_____

**c)**

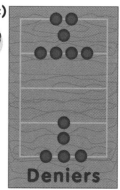

Deniers

_____

**d)**

```
10 ○   10 ○   10 ●
 9 ○    9 ○    9 ○
 8 ○    8 ○    8 ○
 7 ○    7 ○    7 ○
 6 ○    6 ●    6 ○
 5 ●    5 ○    5 ●
 4 ○    4 ●    4 ○
 3 ○    3 ●    3 ○
 2 ●    2 ○    2 ○
 1 ○    1 ○    1 ○
```

_____

**e)**

```
10 ○   10 ②   10 ●
 9 ○    9 ○    9 ○
 8 ○    8 ○    8 ○
 7 ○    7 ○    7 ●
 6 ○    6 ●    6 ○
 5 ●    5 ○    5 ○
 4 ○    4 ○    4 ○
 3 ○    3 ○    3 ●
 2 ○    2 ○    2 ○
 1 ●    1 ○    1 ○
```

_____

**f)**

```
10 ○   10 ④   10 ○
 9 ○    9 ○    9 ○
 8 ○    8 ○    8 ○
 7 ○    7 ○    7 ○
 6 ○    6 ○    6 ⑤
 5 ○    5 ○    5 ○
 4 ○    4 ●    4 ○
 3 ③    3 ○    3 ●
 2 ○    2 ○    2 ○
 1 ○    1 ○    1 ○
```

_____

 Utilise ta superplanche pour compléter les égalités.

**a)** 12 unités + 15 dizaines + 6 centaines = _____

**b)** 3c + 10d + 31u + 403 + 11u + 7d = _____

**c)** 11d + 26u – 8d + 7c – 17d = _____

**d)** 7c – 11d – 22u – 199 = _____

**e)** $(6 \times 7u) + (4 \times 4c) + (8 \times 7u)$ = _____

**f)** $\dfrac{7c + 16u + 22d}{4}$ = _____

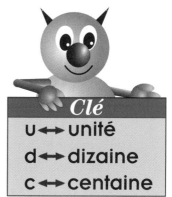

**Clé**

u ⟷ unité
d ⟷ dizaine
c ⟷ centaine

 À toi maintenant de devenir mini-prof !

**a)** Invente cinq cas semblables à ceux du problème 2.
Vérifie-les avec ta superplanche et note le tout.
Garde tes réponses secrètes.

**b)** Échange ton exercice contre celui d'une
ou d'un camarade pour le valider.

**A7**

Il existe plusieurs supports pour représenter un nombre.
Chaque mode de représentation peut également donner
lieu à de multiples formes du même nombre.

 **1** Voici huit représentations du nombre **756.**
Encercle celles que Domino a rendues fausses. Corrige-les.

a)

b)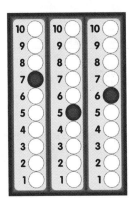

c)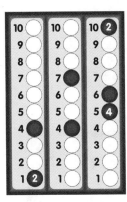

d)

e)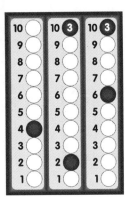

f)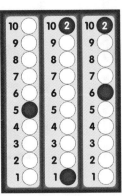

g)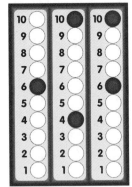

h)

**2** Pour chacune des opérations
ci-dessous, l'une des représentations
du numéro 1 devient plus
intéressante que les autres parce
qu'elle facilite le travail.

Note laquelle et effectue l'opération.

a) **756 – 138 =** _____
avec la représentation 1a.

b) **756 ÷ 2 =** _____
avec la représentation _____.

c) **756 – 85 =** _____
avec la représentation _____.

d) **756 ÷ 4 =** _____
avec la représentation _____.

e) **756 – 379 =** _____
avec la représentation _____.

f) **756 ÷ 6 =** _____
avec la représentation _____.

Fiche complémentaire *Numération 4*

**1** Chaque abaque ci-dessous représente un portefeuille.
L'unité est le dollar.
Complète chaque cas pour obtenir la somme indiquée.
Utilise ta superplanche.

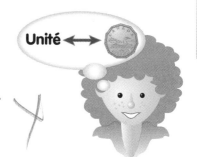

Unité ⟷

**a)  546 $**    **b)  749 $**    **c)  820 $**    **d)  703 $**

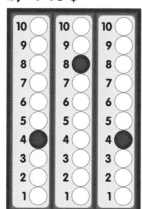

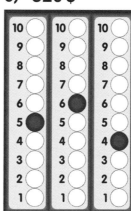

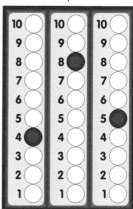

**e)  900 $**    **f)  860 $**    **g)  1 000 $**    **h)  2 038 $**

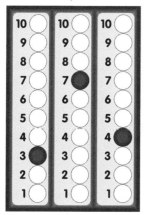

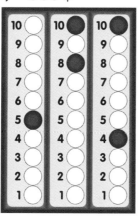

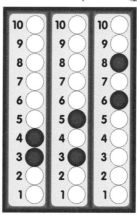

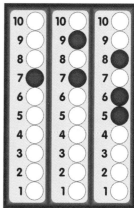

**2** Utilise ta superplanche pour effectuer
les opérations suivantes.

**a)** 457 + 192 = _____     **b)** 597 + 235 = _____     **c)** 299 + 576 = _____

**d)** 762 – 80 = _____     **e)** 517 – 249 = _____     **f)** 800 – 345 = _____

**g)** 148 × 4 = _____     **h)** 246 × 4 = _____     **i)** 374 × 5 = _____

**j)** 846 ÷ 2 = _____     **k)** 729 ÷ 3 = _____     **l)** 652 ÷ 4 = _____

**m)** 642 – _____ = 276     **n)** 529 + _____ = 704     **o)** 6 × _____ = 882

**p)** 268 – 395 + 437 = _____          **q)** 522 – 247 – 310 = _____

Fiche complémentaire *Numération 5*

A 8

Au Moyen Âge, le calcul à la plume est né du besoin de garder des traces du calcul. Grâce à lui, comptables et élèves pouvaient désormais réviser leur travail. Tandis que, sur un abaque, seule la réponse apparaît. Cela ne permet pas de vérifier sa démarche.

**1** Voici (en bleu) des calculs effectués par des apprentis comptables. Ils utilisent le plus ancien procédé de calcul à la plume connu pour l'addition.
Explique le procédé de l'exemple de gauche et corrige les erreurs dans les autres cas.

*Exemple*

**a)**

**b)**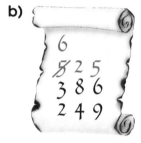

**c)**

**2** Fais comme au numéro 1 pour ces soustractions effectuées à l'aide du plus vieux procédé connu de soustraction à la plume.

*Exemple*

**a)**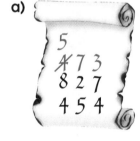

**b)**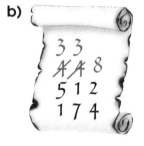

**c)**

**3**  Les anciennes techniques de raturage favorisaient grandement le calcul mental. Pourquoi, à ton avis ?
Effectue mentalement les opérations suivantes pour vérifier ton hypothèse.

| a) | b) | c) | d) | e) |
|---|---|---|---|---|
| 5 6 3<br>+ 2 8 4 | 4 3 8<br>+ 1 7 2 | 2 5 4<br>+ 6 6 9 | 7 4 8<br>− 2 6 7 | 8 0 1<br>− 4 8 5 |

Les comptes concrets, par exemple avec de la monnaie, ainsi que le calcul sur un abaque ont une chose en commun : ils permettent d'appliquer tous les principes du calcul efficace.

Le calcul écrit ne met pas toujours ces principes en pratique. Cela explique sa moins grande efficacité...

<table>
<tr><td>PRINCIPES DU CALCUL EFFICACE</td></tr>
</table>

**PRINCIPES DU CALCUL EFFICACE**

1. Économiser son énergie.

2. Partir des grandes unités.

3. Lire le résultat en calculant.

$$\begin{array}{r} 1 \\ 4\,6\,8 \\ +\,3\,5\,6 \\ \hline 4 \end{array}$$

Le procédé conventionnel d'addition ci-contre n'applique pas les principes 2 et 3 du calcul efficace. Et la compensation n'est jamais utilisée pour économiser son énergie...

D3D4 imagine un procédé écrit d'addition qui permet le calcul efficace.

## SANS compensation :

$$\begin{array}{r} 4\,8\,9 \\ +\,3\,5\,7 \\ \hline 7 \end{array}$$

*En écrivant, dire : 700...*

$$\begin{array}{r} 4\,8\,9 \\ +\,3\,5\,7 \\ \hline 8\,3 \end{array}$$

*... non, 830...*

$$\begin{array}{r} 4\,8\,9 \\ +\,3\,5\,7 \\ \hline 8\,\cancel{3} \\ 4\,6 \end{array}$$

*... non, 846 !*

## AVEC compensation :

$$\begin{array}{r} 4\,8\,9 \\ +\,3\,5\,7 \\ \hline 8 \end{array}$$

*Ajouter 500 à 357 et dire : 800...*

*Pour compenser, il faut enlever 11 de 57...*

$$\begin{array}{r} 4\,8\,9 \\ +\,3\,5\,7 \\ \hline 8 \\ 4\,6 \end{array}$$

*... 46. Génial !*

 Effectue chaque addition ci-dessous en utilisant le procédé de D3D4 avec ou sans recours à la compensation.

a)
$$\begin{array}{r} 5\,4\,6 \\ +\,1\,4\,8 \end{array}$$

b)
$$\begin{array}{r} 3\,9\,7 \\ +\,2\,8\,4 \end{array}$$

c)
$$\begin{array}{r} 5\,5\,4 \\ +\,3\,7\,9 \end{array}$$

d)
$$\begin{array}{r} 4\,6\,5 \\ +\,4\,9\,9 \end{array}$$

e)
$$\begin{array}{r} 3\,6\,8 \\ +\,4\,8\,5 \end{array}$$

# Plus haut, plus loin, plus vite...

Après 3 000 ans de calcul d'abaque et plus d'un millénaire de calcul à la plume, le génie humain a cherché à mécaniser le calcul. Des machines toutes plus performantes et astucieuses les unes que les autres ont été conçues au cours des quatre derniers siècles.

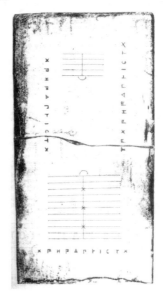

*Table de Salamine : le plus vieil abaque connu (VIᵉ siècle av. J.-C.)*

*Une division du XVᵉ siècle : 471 divisé par 3...*

Malgré la mécanisation du calcul des derniers siècles, ce n'est qu'avec l'avènement des ordinateurs que la machine a surpassé la vitesse et la performance des «bouliéristes»...

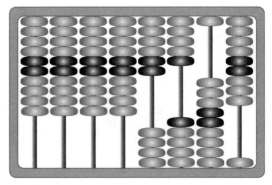

*Stchoty, ou boulier russe moderne, affichant le nombre 4 591*

*La pascaline inventée en 1642 : un ingénieux mécanisme fait de roues à engrenages pour multiplier*

*Calculateur Burroughs (1911) : première machine avec impression*

# ... des machines pour le calcul

La calculette est un précieux allié du calcul efficace.

**CA** Cette touche remet la calculette à zéro. Mais il existe d'autres touches moins radicales pour corriger les erreurs occasionnelles...

**CE** Cette touche (parfois sur une touche à double fonction) sert à effacer le nombre affiché à l'écran.

**C** Cette touche efface tout le calcul en cours.

*Capteurs solaires*

*Voyant de la mémoire*

*Écran*

*Afficheur de la mémoire*

*Opérations en mémoire*

*Remise à zéro*

*Effacement de la mémoire*

*Clavier*

*Il y a des façons plus simples de corriger ses erreurs...*

*Touche double de correction :*
- *CE (1 fois) chasse l'entrée ;*
- *C (2 fois) efface le calcul.*

*Estime avant de pitonner...*

**1** Qu'affichera la calculette après chaque suite de touches ci-dessous ?

Note d'abord ta prédiction puis vérifie à l'aide de ta calculette.

a) | 6 | + | 8 | − | 9 | CE | 7 | = |

b) | 6 | CE | 4 | CE | 3 | × | 5 | = |

c) | 1 | 0 | ÷ | 3 | CE | 5 | + | 1 | = |

d) | 6 | × | 4 | CE | 3 | + | 2 | 0 | = |

e) | 7 | CE | 3 | CE | 2 | CE | − | 2 | CE | 5 | = |

f) | 1 | 5 | CE | 2 | × | 4 | CE | 5 | CE | 3 | = |

g) | 2 | 0 | × | 3 | C | 6 | + | 4 | = |

h) | 5 | − | 7 | CE | 2 | C | 5 | × | 2 | = |

i) | 1 | 8 | ÷ | 4 | C | 3 | + | 2 | 0 | CE | 5 | = |

j) | 5 | 0 | ÷ | 0 | C | 5 | × | 4 | C | 7 | = |

L'histoire de la numération ressemble à une course aux records. La nécessité et parfois le rêve ont poussé nos ancêtres à chercher des façons de représenter des nombres de plus en plus grands.

**Hauteur de l'Everest en centicubes !**

 Imagine qu'il soit possible d'empiler des centicubes pour égaler la hauteur de la plus haute montagne terrestre.

**a)** Combien faut-il de centicubes pour atteindre le sommet de l'Everest ? _____

**b)** Troublefête a commencé à regrouper ces centicubes en formant autant de dizaines, de centaines... que possible. Quelle forme prend la centaine de mille ? _____

**c)** Décris les formes que prendrait le regroupement final des centicubes pour représenter la hauteur du mont Everest. _____
_____
_____

*L'unité et l'unité de mille sont des cubes. Les dizaines sont des bandes...*

d•m         u•m         c     d u

 En équipe de trois, découvrez les nombres gigantesques qui sont décomposés ci-dessous. Utilisez trois superplanches.

**a)** 43u•M + 16d•m + 9c + 14d = _____

**b)** 12d + 23d•m + 19c•m + 11d•M = _____

**c)** 19u•M + 12c•m + 123u + 21c = _____

**d)** 4u•M – 3c•m + 2d•m – 4c – 2d = _____

**e)** 5d•M – 4d•m – 3c – 2u = _____

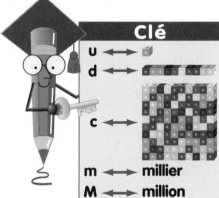

**Clé**

| u | ⟷ | |
| d | ⟷ | |
| c | ⟷ | |
| m | ⟷ | millier |
| M | ⟷ | million |

**1** Voici des opérations sur des grands nombres. Utilise d'abord un procédé écrit, puis vérifie tes réponses avec deux superplanches.

a)
$$46\ 125$$
$$+\ 37\ 493$$

b)
$$54\ 096$$
$$+\ 138\ 827$$

c)
$$274\ 836$$
$$+\ 478\ 194$$

d)
$$327\ 089$$
$$+\ 273\ 468$$

e)
$$46\ 365$$
$$-\ 27\ 283$$

f)
$$183\ 376$$
$$-\ 47\ 189$$

g)
$$518\ 456$$
$$-\ 198\ 378$$

h)
$$701\ 120$$
$$-\ 145\ 429$$

i)
$$398\ 899$$
$$-\ 495\ 997$$

j)
$$478\ 057$$
$$-\ 421\ 943$$

k)
$$712\ 035$$
$$-\ 412\ 769$$

l)
$$800\ 101$$
$$-\ 347\ 893$$

m)
$$404\ 040$$
$$-\ 298\ 298$$

n)
$$900\ 000$$
$$-\ 123\ 456$$

o)
$$279\ 814$$
$$+\ 520\ 187$$

p)
$$649\ 382$$
$$+\ 356\ 928$$

**2** En équipe de deux, utilisez vos superplanches pour compléter les égalités suivantes.

a) 12 u•m + 21d + 11d•m + 35u + 4c = _____

b) 24d + 18u•m + 10c + 15u•m + 23c + 11d = _____

c) 13u•m + 9c•m + 4c – 13d – 8d•m = _____

d) 15d•m – 15u•m + 15c – 15d – 15u = _____

e) 40d•m + 40u•m + 40c + 40d = _____

f) 321d + 321u•m + 321c + 321u = _____

g) 456 031 – 18u•m – 15d – 79c – 85u = _____

h) 25d•m – 25d = _____

i) 45u•m – 45c – 45u = _____

j) 1 000 000 – 1c•m – 1u•m – 1c – 1u = _____

**Clé**

u ←→ unité
d ←→ dizaine
c ←→ centaine
m ←→ millier

**1** Voici une grille de nombres croisés. Le résultat de chaque opération ci-dessous doit être inscrit dans le sens indiqué, à partir du nombre de référence. N'utilise pas ta calculette.

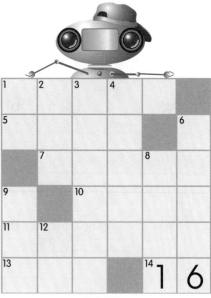

*Horizontalement*

1. 16 829 + 7476
5. 5 893 + 558
7. 72 508 + 20 997
10. 3 964 + 5 407
11. 518 652 + 55 627
13. 258 + 176
14. 9 + 7

*Verticalement*

1. 18 + 8
2. 275 + 174
3. 264 668 + 89 276
4. 689 + 843
6. 26 207 + 48 989
8. 3 480 + $n$ = 4 251
9. $n$ + 15 432 = 16 286
12. 9 927 + $n$ = 10 000

**Addition**

**2** Voici quelques décompositions du nombre 471 806. Forme une équipe avec une ou un camarade. Chaque membre de l'équipe trouve un des deux nombres manquants à l'aide d'une superplanche.

a) 471 806 = 3c•m + 15d•m + _____ u•m + 7c + 6d + _____ u

b) 471 806 = 0c•m + _____ d•m + 61u•m + 0c + _____ d + 301u

c) 471 806 = 2c•m + _____ d•m + 39u•m + 5c + _____ d + 53u

d) 471 806 = 1c•m + 25d.m + _____ u•m + 3c + 34d + _____ u

e) 471 806 = _____ c•m + 24d•m + 30u•m + _____ c + 15d + 56u

f) 471 806 = 2c•m + _____ d•m + 19u•m + 22c + _____ d + 86u

 g) 471 806 = 2c•m + _____ d•m + 103u•m + 8c + _____ d + 105u

**3** Deviens mini-prof en inventant ta propre grille de nombres croisés.

a) Choisis une ou plusieurs opérations de base (+, –, × ou ÷). Effectue les calculs qui rempliront la grille. Si possible, utilise un logiciel de traitement de texte ou de dessin pour donner à ton oeuvre un petit air... professionnel !

b) Soumets ta grille à quelques camarades pour la valider.

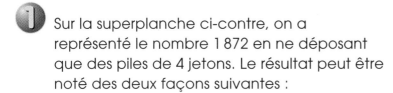

**1** Sur la superplanche ci-contre, on a représenté le nombre 1 872 en ne déposant que des piles de 4 jetons. Le résultat peut être noté des deux façons suivantes :

$$1872 = (4c + 6d + 8u) \times 4 \text{ ou } 1872 \div 4 = 468$$

Sur ta superplanche, représente le même nombre en utilisant uniquement les piles demandées. Note la description de ce que tu obtiens.

*Le nombre 1872*

**a)** Piles de 3 : $1872 = (\underline{\phantom{xx}}c + \underline{\phantom{xx}}d + \underline{\phantom{xx}}u) \times 3$

$1872 \div 3 = \underline{\phantom{xxxx}}$

**b)** Piles de 6 : $1872 = (\underline{\phantom{xx}}c + \underline{\phantom{xx}}d + \underline{\phantom{xx}}u) \times 6$

$1872 \div 6 = \underline{\phantom{xxxx}}$

**c)** Piles de 9 : $1872 = (\underline{\phantom{xx}}c + \underline{\phantom{xx}}d + \underline{\phantom{xx}}u) \times 9$

$1872 \div 9 = \underline{\phantom{xxxx}}$

**2** Représente chaque nombre demandé ci-dessous sur une ou deux superplanches. N'utilise que les piles de jetons demandées. Note le résultat de la manière suggérée.

**a)** 2 277 (piles de 3) : $2277 = (\underline{\phantom{xx}}c + \underline{\phantom{xx}}d + \underline{\phantom{xx}}u) \times 3$

**b)** 2 104 (piles de 4) : $2104 = (\underline{\phantom{xx}}c + \underline{\phantom{xx}}d + \underline{\phantom{xx}}u) \times 4$

**c)** 3 230 (piles de 5) : $3230 = (\underline{\phantom{xx}}c + \underline{\phantom{xx}}d + \underline{\phantom{xx}}u) \times 5$

**3** Voici des informations concernant les records de longévité pour certains animaux domestiques. Construis un tableau pour établir un classement résumant ces exploits.

*Non, merci !*

> *Une gerbille nommée Sahara a vécu trois mille quatre-vingt-neuf jours au Michigan. Cette performance est très supérieure à celle du rat de Philadelphie, qui vécut seulement deux mille soixante-dix jours. Le lapin Floppy est mort à l'âge vénérable de six mille neuf cent un jours. Une souris de Grande-Bretagne a eu une existence de six mille neuf cent trente-neuf soleils. Quant au cochon d'Inde Snowball, il est décédé à l'âge respectable de cinq mille quatre cent trente-trois jours.*
>
> TIRÉ DES ARCHIVES DU *LIVRE GUINNESS DES RECORDS*

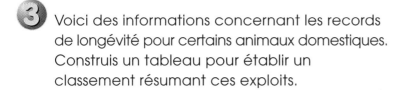

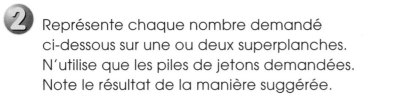

**1** Les trois procédés de multiplication illustrés ci-dessous permettent d'appliquer les principes de base du calcul efficace.
Explique pourquoi et montre les liens qui existent entre ces procédés.

$$\begin{array}{r} 145 \\ \times\quad 3 \\ \hline \end{array}$$
3 « 300... »
42 « Non, 420... »
35 « Non, 435... »

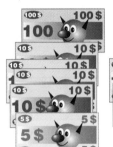     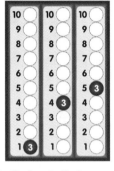

*1. Compte concret*      *2. Calcul d'abaque*    *3. Calcul mental*

**2** La technique de calcul écrit illustrée ci-contre est le procédé conventionnel de multiplication le plus répandu en Amérique. Mais, depuis l'arrivée des calculettes, son utilisation est déclinante...

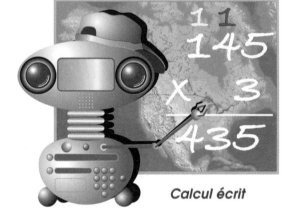

*Calcul écrit*

**a)** Pourquoi ? _____

_____

_____

**b)** Dans chaque procédé du numéro 1, à quoi associes-tu le chiffre ci-contre écrit en rouge ?

_____

_____

**c)** À quoi associes-tu le chiffre écrit en jaune

_____

_____

**3** Effectue les calculs ci-dessous en utilisant le procédé conventionnel de multiplication.
Vérifie tes réponses avec deux superplanches.

**a)**
$$\begin{array}{r} 587 \\ \times\quad 4 \\ \hline \end{array}$$

**b)**
$$\begin{array}{r} 3\ 207 \\ \times\quad\quad 5 \\ \hline \end{array}$$

**c)**
$$\begin{array}{r} 16\ 863 \\ \times\quad\quad\quad 6 \\ \hline \end{array}$$

 **d)**
$$\begin{array}{r} 308\ 749 \\ \times\quad\quad\quad\quad 4 \\ \hline \end{array}$$

**1** Un montant d'argent, en dollars, est représenté sur la superplanche ci-contre.

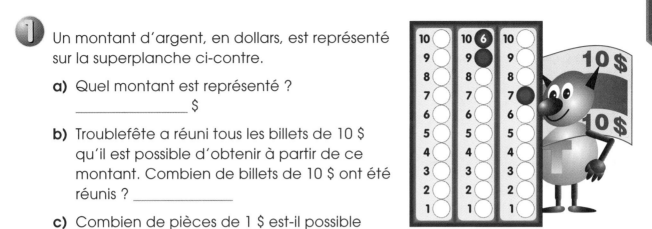

**a)** Quel montant est représenté ?
_____ $

**b)** Troublefête a réuni tous les billets de 10 $ qu'il est possible d'obtenir à partir de ce montant. Combien de billets de 10 $ ont été réunis ? _____

**c)** Combien de pièces de 1 $ est-il possible de réunir, au maximum, à partir du même montant ? _____

**2** Dans chacun des cas ci-dessous, la superplanche affiche un montant en dollars.
Note de quel nombre il s'agit et indique combien de billets de 10 $ ont été réunis.

**a)** Montant : _____ $
_____ billets de 10 $

**b)** Montant : _____ $
_____ billets de 10 $

**c)** Montant : _____ $
_____ billets de 10 $

**3** Réponds aux questions suivantes. Utilise deux superplanches pour t'aider à visualiser chaque cas.

**a)** Dans 745, combien peux-tu réunir d'unités, au maximum ? _____

**b)** Dans 2 140, combien peux-tu réunir de centaines, au maximum ? _____

**c)** Dans 1 010, combien peux-tu réunir de dizaines, au maximum ? _____

**d)** Dans 1 240, combien peux-tu réunir de centaines, au maximum ? _____

**e)** Dans 1 234, combien peux-tu réunir d'unités, au maximum ? _____

**f)** Dans 3 254, combien peux-tu réunir de dizaines, au maximum ? _____

 **g)** Dans 18 934, combien peux-tu réunir de dizaines, au maximum ? _____

**1** Les deux procédés de division illustrés de part et d'autre de Caboche suivent le même raisonnement.

**a)** Explique comment en montrant les liens qui existent entre ces procédés.

**b)** À deux, refaites le même calcul avec de la monnaie en établissant à nouveau des liens de ressemblance.

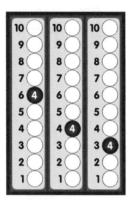

*Calcul d'abaque*

*Du pareil au même !*

| 2 | 5 | 7 | 2 | 4 |
|---|----|----|----|-----|
| 0 | 25 | 7 | 2 | 643 |
| 0 | 24 | 17 | 2 | |
| 0 | 24 | 16 | 12 | |

|    |    |      |
|----|----|------|
| 4  | 8  | (12) |
| (16) | 20 | (24) |
| 28 | 32 | 36   |

*Calcul écrit : procédé long*

**2** Le procédé abrégé de division illustré ci-contre simplifie la technique de division du numéro 1 et gagne en efficacité. Explique ce procédé abrégé de division.

| 2 | 5 | 7 | 2 | 4 |
|---|----|----|----|-----|
|   | 25 |    |    | 643 |
|   | 24 | 17 |    | |
|   |    | 16 | 12 | |

|    |    |      |
|----|----|------|
| 4  | 8  | (12) |
| (16) | 20 | (24) |
| 28 | 32 | 36   |

*Calcul écrit : procédé abrégé*

**3** Si tu connais bien tes multiples, il devient inutile de compléter le carré des multiples. Il est également inutile de noter les nombres 25 et 17.

**a)** Explique le procédé court de division illustré ci-contre.

**b)** Pourquoi le procédé court conduit-il mieux que les autres au calcul efficace ?

| 2 | 5 | 7 | 2 | 4 |
|---|---|---|---|-----|
| 2 | 4 |   |   | 6… |
|   | 1 | 6 |   | 4… |
|   |   | 1 | 2 | 3 |

*Calcul efficace : procédé court*

**4** Exerce-toi avec les cas ci-dessous, en utilisant ton procédé de division préféré.

**a)** 4 359 ÷ 3 = _____

**b)** 6 388 ÷ 4 = _____

**c)** 9 519 ÷ 2 = _____

**d)** 7 458 ÷ 6 = _____

 **e)** 62 187 ÷ 5 = _____

**f)** 34 890 ÷ 10 = _____

**1** Utilise deux superplanches pour retrouver les nombres décomposés qui suivent.

   **a)** 10u•m + 30c + 50d + 200u = _____

   **b)** 34u•m + 45c + 123d + 356u = _____

   **c)** 235u•m + 104c + 300d + 1 367u =_____

**2** Voici six décompositions du nombre 6 732.

① 34c + 323d + 102u

② 51c + 153d + 102u

③ 4u•m + 8c + 172d + 9u

④ 4u•m + 24c + 32d + 12u

⑤ 63c + 36d + 72u

⑥ 54c + 123d + 102u

Trouve celles qui permettent d'effectuer chacune des divisions ci-dessous.

   **a)** 6 732 ÷ 4 = _____ grâce à la représentation n° _____.

   **b)** 6 732 ÷ 9 = _____ grâce à la représentation n° _____.

   **c)** 6 732 ÷ 17 = _____ grâce à la représentation n° _____.

**3** Le procédé de division présenté ci-contre est le plus utilisé, par les francophones d'Amérique, depuis deux siècles.

   **a)** Termine le travail commencé par D3D4.

   **b)** En équipe de deux, justifiez les étapes du procédé conventionnel de division à l'aide de vos superplanches.

   **c)** Compare le procédé conventionnel avec les autres techniques présentées à la page *Numération* B-19.

*Procédé conventionnel*

**4** Résous les cas a et b ci-dessous en employant le procédé conventionnel de division du numéro 3. Utilise ensuite le procédé que tu préfères.

   **a)** 795 ÷ 3 = _____    **b)** 1 561 ÷ 2 = _____

   **c)** 7 876 ÷ 4 = _____    **d)** 9 085 ÷ 5 = _____

   **e)** 9 705 ÷ 6 = _____    **f)** 7 904 ÷ 4 = _____

# À la quincaillerie Duboulon...

La quincaillerie Duboulon est spécialisée dans la vente de matériaux pour couvrir les planchers. Cette semaine, c'est le parquet qui est en promotion. L'unité de 1 m sur 1 m coûte 100 $.

100 $

*Unité de parquet de 1 m sur 1 m*

Pour accommoder la clientèle, la quincaillerie Duboulon offre un service gratuit de découpage.

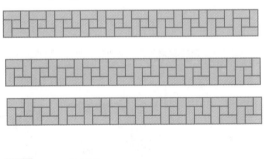

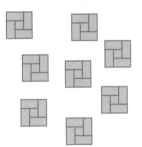

Sur demande, on peut obtenir des bandes ou des carreaux individuels.

**1** Quels sont les dimensions et le prix des pièces découpées ci-dessous ?

a)  _____ × _____ Prix : _____ $

b) _____ × _____ Prix : _____ $

# ... on se fend en dix !

**2** Tu désires profiter de la promotion chez Duboulon pour couvrir le plancher du placard de ta chambre. Le plan ci-dessous est à l'échelle.

**Échelle : 10 cm ◆▶ 1 m**

a) Quelle est la largeur réelle de la porte ? _____

b) Quelle est la largeur réelle du fond de ce placard ? _____

c) Remplis le bon de commande des pièces nécessaires pour recouvrir exactement le plancher du placard.

**BON DE COMMANDE**

| Pièces de parquet | | | | Prix |
|---|---|---|---|---|
| _____ unité(s) | × | 100 $ | _____ $ | |
| _____ bande(s) | × | _____ $ | _____ $ | |
| _____ carreau(x) | × | _____ $ | _____ $ | |
| | | **TOTAL** | _____ $ | |

**1** Prépare la commande pour couvrir exactement le plancher de chacun des lieux mentionnés ci-dessous. Note aussi la commande avec une expression mathématique comportant des fractions ordinaires.

unité de parquet

bande

carreau

**a)** Salon : $14\frac{1}{2}$ unités

$$14 \times 1 + \underline{\phantom{xx}} \times \frac{1}{10} + \underline{\phantom{xx}} \times \frac{1}{100}$$

**b)** Cuisinette : $7\frac{3}{4}$ unités

**c)** Chambre : $9\frac{2}{5}$ unités

**d)** Vestibule : $3\frac{3}{10}$ unités

**e)** Bureau : 2,5 m × 3 m

**f)** Couloir : $5\frac{1}{3}$ unités

La superplanche permet de représenter des entiers aussi bien que des fractions décimales, c'est-à-dire des fractions dont le dénominateur est une puissance de 10.

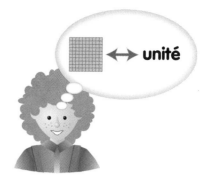

↔ unité

**1** Chez Duboulon, la promotion du week-end a été un franc succès.
Les superplanches ci-contre décrivent le stock précis de toutes les pièces de parquet achetées à la quincaillerie.

Décris la même situation avec des fractions décimales.

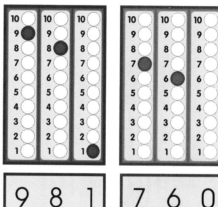

$$\underline{\quad} \times 1 + \underline{\quad} \times \frac{1}{10} + \underline{\quad} \times \frac{1}{100}$$

$$\underline{\quad} + \frac{\underline{\quad}}{10} + \frac{\underline{\quad}}{100}$$

9 8 1 , 7 6 0

*Tranche des unités*    *Tranche des fractions*

**2** Pour chacun des cas suivants, décris les pièces de parquet indiquées sur la superplanche et complète les informations, comme au numéro 1.

**a)**

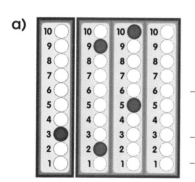

_____

_____

_____

$$\underline{\quad} \times 1 + \underline{\quad} \times \frac{1}{10} + \underline{\quad} \times \frac{1}{100}$$

$$\underline{\quad} + \frac{\underline{\quad}}{10} + \frac{\underline{\quad}}{100}$$

*Nombre à virgule :*

**b)**

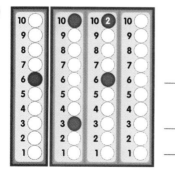

_____

_____

_____

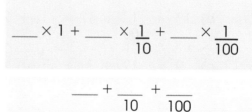

$$\underline{\quad} \times 1 + \underline{\quad} \times \frac{1}{10} + \underline{\quad} \times \frac{1}{100}$$

$$\underline{\quad} + \frac{\underline{\quad}}{10} + \frac{\underline{\quad}}{100}$$

*Nombre à virgule :*

Fiche complémentaire *Numération 17*

C 24

**1** Enregistre chaque commande ci-dessous
sur une seule superplanche.

**a)**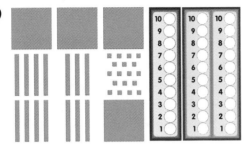

**b)**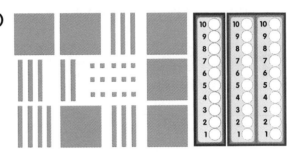

**c)**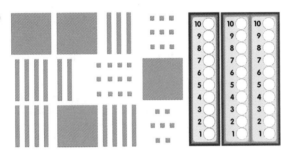

**d)**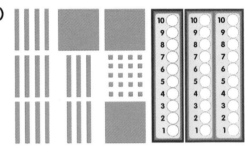

**2** Représente d'abord chaque expression ci-dessous
sur ta superplanche. Puis, effectue l'opération
et note le nombre à virgule qui manque.

**a)** $8 \times \dfrac{1}{10} + 5 \times 1 + 3 \times \dfrac{1}{100} =$ _____

**b)** $13 \times \dfrac{1}{100} + 12 \times \dfrac{1}{10} + 2 \times 1 =$ _____

**c)** $\dfrac{9}{100} + 12 \times \dfrac{1}{10} + 7 + \dfrac{2}{100} + \dfrac{9}{10} =$ _____

**d)** $\dfrac{13}{10} + 11 \times \dfrac{1}{100} + 4 + \dfrac{24}{100} =$ _____

**e)** $\dfrac{16}{10} + \dfrac{23}{100} + 0{,}12 + 4 \times \dfrac{3}{10} =$ _____

**f)** 12 centièmes + 12 dixièmes + 4 unités = _____

**g)** 2,35 + 7 dixièmes + 88 centièmes + 0,07 = _____

 **h)** 33 dixièmes + 75 centièmes + 1,093 = _____

La virgule
sépare les entiers
des fractions.

Fiche complémentaire *Numération* 18

**1** Quel nombre est représenté sur chaque abaque ci-dessous ?
Attention à la séparation entre entiers et fractions !

a)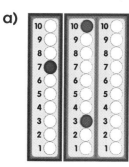

b)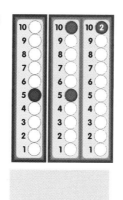

c)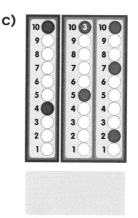

d)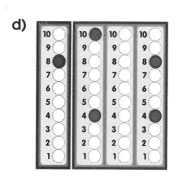

e)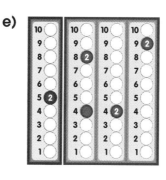

f) POUR LES AS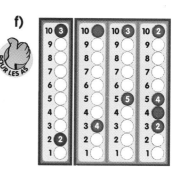

**2** Complète les égalités ci-dessous au moyen d'un nombre
à virgule. Utilise ta superplanche.

a) 5,36 + 3 centièmes + 8 dixièmes + 6 = _____

b) 8,49 – 6 centièmes – 5 dixièmes – 3,01 = _____

c) 21,09 + 11 dixièmes + 12 centièmes + 1, 46 = _____

d) 5 – 3 dixièmes – 1 centième = _____

e) 0,51 – 9 centièmes + 23 dixièmes = _____

f) 4,97 + 0,6 – 1,48 = _____

**3** À toi maintenant de devenir mini-prof !

a) Invente un exercice semblable à celui du numéro 2.

b) Trouve les réponses et garde-les secrètes !

c) Échange ton exercice contre celui d'une
ou d'un camarade pour le valider.

Fiche complémentaire *Numération 3*

L'idée d'imposer une taxe remonte à près de 10 000 ans. Dans les premières sociétés humaines, chaque personne devait fournir une petite partie de sa production à la communauté. L'État pouvait alors redistribuer ces biens, pour satisfaire les besoins de tous ses sujets.

Imagine une bergère préhistorique taxée à 1 pour 100. Voici comment établir sa contribution si elle possède 300 bêtes :

*Imagine que chaque petit carré soit un mouton...*

*Pourquoi nous ?*

*Le troupeau de la bergère...*      *La taxe versée à l'État : 1 pour 100*

**1** Voici une fermière et un tisserand préhistoriques. L'État impose une taxe sur leur production. Pour chacun, colorie ce qui doit être remis à l'État. Établis ensuite le pourcentage de taxe que cela représente.

**a)** La fermière remet 1 sac de grains pour chaque lot de 50. Voici une représentation de tous les sacs de grains qu'elle a récoltés.

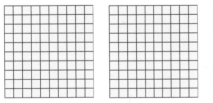

Une taxe de
_____ pour 100

**b)** Le tisserand remet 1 drap de laine pour chaque lot de 25. Voici une représentation de tous les draps qu'il a tissés.

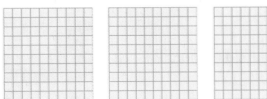

Une taxe de
_____ pour 100

La taxe de vente est une façon plus récente de remettre à l'état une partie de sa « richesse ». Au moment d'acheter certaines marchandises, les gouvernements prélèvent un montant représentant une petite partie de la valeur de l'achat.

On utilise un pourcentage pour exprimer la taxe de vente.

% veut dire **pour 100**

$10\% = \dfrac{10}{100}$

**%** devient **100**

**1** Imagine une taxe de vente de 10 %. Les cas ci-dessous illustrent la valeur de trois achats taxables. Quel montant additionnel faut-il débourser pour cette taxe ?

a)

10 % : _____

b)

10 % : _____

c)

10 % : _____

**2** Pour chaque article ci-dessous, quelle serait la valeur d'une taxe de vente à 10 pour 100 ?

a)  200 $

10 % : _____ $

b) 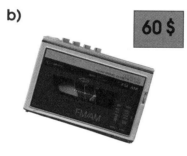 60 $

10 % : _____ $

c) 4 $

10 % : _____ $

d)  85 $

10 % : _____ $

e) 140 $

10 % : _____ $

f)  329 $

10 % : _____ $

**3**  Renseigne-toi au sujet de la valeur actuelle de la taxe de vente. Puis, estime le montant qu'il faudrait réellement payer à l'achat des articles du numéro 2.

a) _____ $    b) _____ $    c) _____ $

d) _____ $    e) _____ $    f) _____ $

C 28

# Numération décimale et...

L'idée de grouper par 10 remonte à la nuit des temps.
C'est parce que nos lointains ancêtres avaient sous les yeux
une véritable machine à compter par 10 : les mains !
Mais l'idée de diviser en dix les unités
est beaucoup plus récente.

**1** Imagine une unité de mesure : le dollar, par
exemple. On le divise en 10 parts égales.
Chaque partie vaut $\frac{1}{10}$ de 1 $.

$\frac{1}{10}$

**a)** Quelle pièce de monnaie équivaut à cette
partie du dollar ? _____

**b)** Note cette pièce en dollars, à l'aide d'un
nombre à virgule. _____ $

**2** On subdivise de nouveau cette fraction de dollar
en 10 parts égales. Chacune de ces petites
parties vaut donc $\frac{1}{100}$ de 1 $.

$\frac{1}{100}$

**a)** Quelle pièce de monnaie équivaut à cette
partie du dollar ? _____

**b)** Note cette pièce en dollars, à l'aide d'un
nombre à virgule. _____ $

**3** Imagine des pièces de monnaie décrites au moyen des
expressions ci-dessous. Complète les égalités en dollars.

**a)** $5 \times \frac{1}{10}$ $ $+ 12 \times 1$ $ $+ 3 \times \frac{1}{100}$ $ $=$ _____

**b)** $\frac{8}{100}$ $ $+ 7 \times \frac{1}{10}$ $ $+ 26$ $ $+ \frac{9}{100}$ $ $+ \frac{11}{10}$ $ $=$ _____

**c)** $12$ $ $- \frac{11}{100}$ $ $- \frac{3}{10}$ $ $=$ _____

# ... système international d'unités

C'est en France, en 1790, que le système métrique a été créé. Il s'agit d'un système décimal où toutes les unités sont divisées ou multipliées par 10.

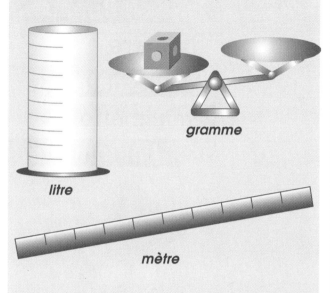

Avant la création du système métrique, chaque région utilisait son propre système de mesure. La confusion était grande.

Afin d'imposer le système métrique, une loi obligeait même la vente des oeufs... à la dizaine !

Les gens n'aimaient pas ce nouveau système de mesure. Ils protestaient dans tout le pays.

Devant le mécontentement populaire, le système métrique est aboli en 1793. Mais il est rétabli pour de bon en 1837, sous le règne du roi Louis-Philippe 1er.

C'est en 1971 que le Canada adopte officiellement le système métrique, devenu le système international d'unités. En effet, pratiquement tous les pays du monde l'ont aujourd'hui adopté.

Maintenant, toute unité de mesure peut être subdivisée comme le dollar de la page précédente.

Le système métrique tire son nom du *mètre*, l'unité qui lui sert de base. Du mètre sont dérivées toutes les unités courantes du système international.

**1** Parmi les noms proposés à droite, note celui de chacune des unités ci-dessous, toutes dérivées du **mètre**.

| | | |
|---|---|---|
| décamètre | | |
| | décimètre | |
| | | centimètre |
| | **mètre** | |
| | kilomètre | |
| | millimètre | |
| | | hectomètre |

**a)** $\frac{1}{10}$ mètre = 1 _____

**b)** $\frac{1}{100}$ mètre = 1 _____

**c)** $\frac{1}{1000}$ mètre = 1 _____

**d)** 1 mètre × 10 = 1 _____

**e)** 1 mètre × 100 = 1 _____

**f)** 1 mètre × 1 000 = 1 _____

*Un litre s'écrit « 1 L ».*

**2** Un cube mesurant 10 cm de côté peut contenir exactement un litre liquide.

Décris les quantités ci-dessous à l'aide de fractions décimales. Remplis ensuite le tableau de droite.

**a)** 3,42 L = 3 × 1 L +

**b)** 0,72 L =

**c)** 6,05 L =

**d)** 9,008 L =

| | |
|---|---|
| **1 dL** | |
| **1 hL** | |
| **1 mL** | |
| **1 kL** | |
| **1 cL** | |
| **1 daL** | 10 L |

**3** Un kilogramme s'écrit « 1 kg » et 1 000 g = 1 kg. Complète les égalités ci-dessous en utilisant les symboles d'unité appropriés.

**a)** $\frac{1}{10}$ g = 1 _____   **b)** 10 g = 1 _____   **c)** $\frac{1}{1000}$ g = 1 _____

**d)** $\frac{1}{100}$ g = 1 _____   **e)** 1000 g = 1 _____   **f)** 100 g = 1 _____

**1** À la maison, tu trouveras sur plusieurs produits d'épicerie des mentions de mesures métriques. Fais une petite recherche pour répondre aux questions ci-dessous.

**a)** Sous quel format trouve-t-on le lait ?

_____

_____

**b)** Quelles mesures décrivent les rouleaux de pellicule en plastique ?

_____

_____

**c)** Quelle mesure apparaît sur une grosse boîte de céréales ?

_____

_____

**d)** Trouve une mesure métrique sur un produit d'épicerie de ton choix.

_____

_____

**2** Complète les phrases suivantes avec l'une des expressions suggérées ci-contre.

**a)** Un grand pot de jus d'orange contient environ _____.

**b)** Félix est un sportif et il a une masse corporelle de _____.

**c)** La largeur de la cour de l'école de mon quartier est de _____.

**d)** Un grand verre de jus de tomate en contient environ _____.

**e)** Laurie a une forte fièvre. Sa température est de _____.

**f)** Un dictionnaire de poche a une masse d'environ _____.

**g)** Un pommier mature a une hauteur d'environ _____.

**h)** La température de l'eau bouillante est de _____.

76,4 mètres

0,2 litre

2 000 millilitres

4,5 mètres

72,5 kilogrammes

0,7 kilogramme

100 °Celsius

25,4 millimètres

40 °Celsius

0,18 gramme

1,2 kilolitre

0 °Celsius

18 kilogrammes

**3** Nomme au moins trois produits de consommation différents que l'on mesure à l'aide de chacune des unités suivantes (ou de leurs dérivés) :

**a)** mètre _____

**b)** gramme _____

**c)** litre _____

L'addition et la multiplication de nombres à virgule n'ajoutent presque rien à ce que tu connais déjà de ces opérations.

**1** Sur la superplanche ci-contre, une addition de deux nombres à virgule est affichée (une couleur pour chaque nombre). L'unité est le dollar.

**a)** Quels sont les nombres en question ?

_____

**b)** Effectue l'addition sur ta superplanche.

**c)** À quelle opération sur des entiers peux-tu associer l'opération que tu viens de faire ?

_____

$

**2** Sur la deuxième superplanche apparaît une multiplication. L'unité est le mètre.

**a)** Quels sont les nombres à multiplier ?

_____

**b)** Effectue la multiplication sur ta superplanche.

**c)** À quelle opération sur des entiers peux-tu associer l'opération que tu viens de faire ?

_____

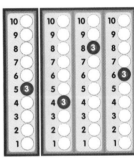

m

**3** Voici diverses quantités liquides qui ont été versées dans un seau. Utilise deux superplanches pour trouver la quantité totale, en litres.

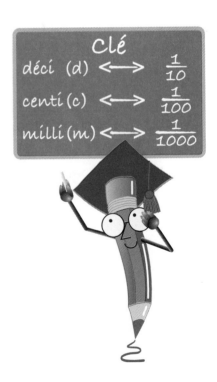

Clé

déci (d) $\longleftrightarrow$ $\dfrac{1}{10}$

centi (c) $\longleftrightarrow$ $\dfrac{1}{100}$

milli (m) $\longleftrightarrow$ $\dfrac{1}{1000}$

**a)** 3 L + 5 dL + 9 mL + 6 cL + 7 dL = _____ L

**b)** 11 mL + 12 dL + 10 cL + 9 mL + 8 L = _____ L

**c)** 52 cL + 0,7 L + 25 mL + 4,2 L = _____ L

**d)** 1,78 L + 0,404 L + 22 dL + 0,08 L = _____ L

**e)** 2,45 L + 0,003 L + 3,7 L + 1,328 L = _____ L

**f)** 4 × 3 cL + 6 × 2 mL + 5 × 6 dL = _____ L

**g)** 2 × (1 L + 5 cL + 8 mL + 7 dL) = _____ L

**h)** 6 × (0,02 L + 4 dL + 0,003 L) = _____ L

**i)** 7 × 1,275 L = _____ L

**1** La compensation s'applique aussi aux nombres à virgule. Elle simplifie énormément l'effort requis pour certains calculs. La superplanche ci-contre montre 3,76 $ auquel un certain montant est ajouté, par le procédé de compensation.

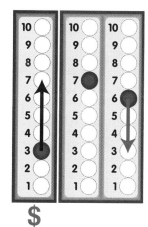

**a)** Quel montant est ajouté ? _____

**b)** Pourquoi ? _____

**c)** Quel est le résultat ? _____

**d)** À quelle opération sur des entiers peux-tu associer l'opération que tu viens de faire ? _____

**2** Effectue les opérations ci-dessous en utilisant le procédé écrit que tu préfères. Vérifie tes réponses à l'aide de tes superplanches.

**a)** 3,57 + 2,69 = _____

**b)** 1,4 + 2,86 = _____

**c)** 1,98 + 6,9 = _____

**d)** 13,8 + 9,5 = _____

**e)** 35,89 + 4,698 = _____

**f)** 134,09 + 65,934 = _____

**g)** 6,04 + 135,9 = _____

**h)** 385,72 + 8,649 = _____

**i)** 2 × 3,45 = _____

**j)** 0,73 × 4 = _____

**k)** 5 × 1,03 = _____

**l)** 4 × 6,8 = _____

**m)** 6 × 1,45 = _____

**n)** 3,624 × 7 = _____

**o)** 8 × 2,045 = _____

**p)** 14,382 × 9 = _____

**q)** 10 × 2,7 = _____

**r)** 2,345 × 10 = _____

**3** Compare les expressions deux à deux et note le signe de comparaison qui manque (<, > ou =).

**a)** 5 dixièmes ◯ 0,06

**b)** 2 millièmes ◯ 0,002

**c)** 14 dixièmes ◯ 0,20

**d)** 23 centièmes ◯ 0,23

**e)** 0,081 ◯ 0,50

**f)** 2,5 ◯ 30 dixièmes

**g)** 0,06 + 0,2 ◯ 0,26

**h)** 5,7 + 0,20 ◯ 5,27

**i)** 2,041 + 0,08 ◯ 2,100

**j)** 2,020 + 30,303 ◯ 32,33

Voici quelques résultats obtenus par des élèves aux olympiades scolaires.

| SAUT EN HAUTEUR | | | |
|---|---|---|---|
| **Élève** | **Équipe** | **Masse** | **Rang** |
| Mégane | Castors | 0,97 m | |
| Camille | Cerfs | 1,04 m | |
| Ariane | Aigles | 0,95 m | |
| Noémie | Castors | 1,19 m | |
| Emy | Aigles | 0,9 m | |
| Dorah | Cerfs | 1,2 m | |

**a)** Indique le classement individuel dans le tableau.

**b)** Quelle longueur sépare le saut le plus haut du plus bas, en mètres ? _____

**c)** Classe les trois équipes en ordre décroissant de hauteur.

_____ , _____ , _____

**d)** Combien manque-t-il de centimètres à la troisième équipe pour égaler la première ?

_____

| POIDS ET HALTÈRES | | | |
|---|---|---|---|
| **Élève** | **Équipe** | **Masse** | **Rang** |
| Olivier | Castors | 34,8 kg | |
| Xavier | Cerfs | 33,9 kg | |
| Mathis | Aigles | 35,1 kg | |
| Zachary | Castors | 34,9 kg | |
| Ahmed | Aigles | 35 kg | |
| William | Cerfs | 34,25 kg | |

**a)** Indique le classement individuel dans le tableau.

**b)** Par combien de kilogrammes Ahmed a-t-il surpassé Xavier ? _____

**c)** Classe les trois équipes en ordre croissant de masse.

_____ , _____ , _____

**d)** Par combien de grammes la première équipe devance-t-elle la deuxième ? _____

Voici d'autres résultats obtenus par des élèves aux olympiades scolaires.

**1** À la course de 50 mètres, les résultats ont été obtenus jusqu'aux centièmes de seconde.

| COURSE DE 50 MÈTRES | | | |
|---|---|---|---|
| **Élève** | **Équipe** | **Masse** | **Rang** |
| Audrey | Castors | 5,96 s | |
| Maude | Cerfs | 6,1 s | |
| Laurie | Aigles | 5,87 s | |
| Sara | Castors | 5,7 s | |
| Corinne | Aigles | 5,83 s | |
| Gabrielle | Cerfs | 5,63 s | |

**a)** Indique le classement individuel dans le tableau.

**b)** Classe les trois équipes en ordre décroissant de temps cumulé.

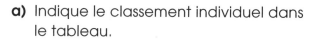

_____ , _____ , _____

**c)** Par quelle fraction de seconde la fille la plus rapide dépasse-t-elle la plus lente ? _____

**2** Au lancer du poids, les garçons se sont livré une belle lutte. On sait que :

- Jonathan a réussi un lancer de 3,04 m.
- Frank a dépassé Pascal de 50 mm.
- Jordan a surpassé Frank de 19 cm.

**a)** Remplis le tableau des résultats.

| LANCER DU POIDS | | | |
|---|---|---|---|
| **Élève** | **Équipe** | **Masse** | **Rang** |
| Frank | | 2,91 m | |
| | | | |
| | | | |
| | | | |

**b)** Quelle distance, en centimètres, sépare les deux lancers les plus longs ?

_____

**c)** Les deux garçons de l'équipe des Cerfs ont dépassé les Aigles par 11 cm au total des lancers. Dans le tableau, ajoute à quelle équipe appartient chaque garçon.

La soustraction et la division de nombres à virgule n'ajoutent presque rien à ce que tu connais déjà de ces opérations.

**1** Voici huit représentations du nombre 7,56.
Encercle celles que Domino a rendues fausses. Corrige-les.

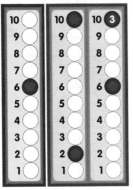
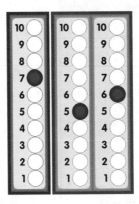
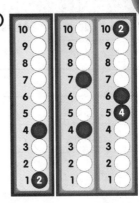

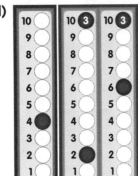
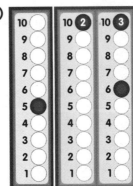

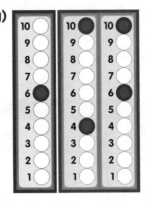

**2** Pour chacune des opérations ci-dessous, l'une des représentations du numéro 1 devient plus intéressante que les autres parce qu'elle facilite le travail.
Note laquelle et effectue l'opération.

**a)** 7,56 − 1,38 = _____

avec la représentation a .

**c)** 7,56 − 0,85 = _____

avec la représentation _____.

**e)** 7,56 − 3,79 = _____

avec la représentation _____.

**b)** 7,56 ÷ 2 = _____

avec la représentation _____.

**d)** 7,56 ÷ 4 = _____

avec la représentation _____.

**f)** 7,56 ÷ 6 = _____

avec la représentation _____.

**1** Chaque superplanche ci-dessous représente la longueur d'un ruban, en mètres. Les flèches indiquent une coupure. Complète les données qui résument chaque situation.

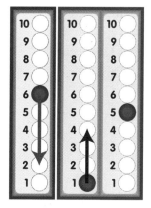
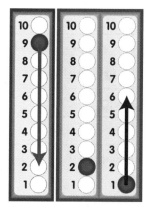
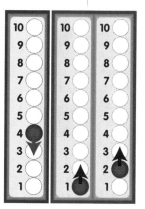

**a)** Ruban de _____ m

Coupure de _____ m

Il reste _____ m.

**b)** Ruban de _____ m

Coupure de _____ m

Il reste _____ m.

**c)** Ruban de _____ m

Coupure de _____ m

Il reste _____ m.

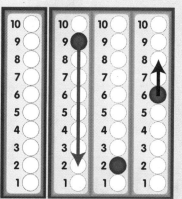
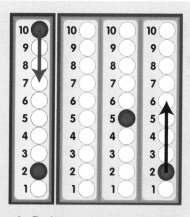
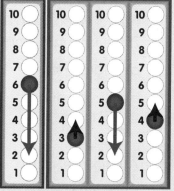

**d)** Ruban de _____ m

Coupure de _____ m

Il reste _____ m.

**e)** Ruban de _____ m

Coupure de _____ m

Il reste _____ m.

**f)** Ruban de _____ m

Coupure de _____ m

Il reste _____ m.

**2**  Chaque cas ci-dessous évoque l'idée d'un contenant de lait duquel on enlève une certaine quantité de liquide. Complète les égalités en notant les mesures en litres.

**a)** $1\,L - 0{,}3\,L = $ _____ L

**b)** $2\,L - 0{,}01\,L = $ _____ L

**c)** $1{,}5\,L - 0{,}25\,L = $ _____ L

**d)** $2{,}01\,L - 1{,}8\,L = $ _____ L

**e)** $2\,L = 1{,}41\,L + $ _____ L

**f)** $2{,}18\,L = 0{,}904\,L + $ _____ L

**g)** $2{,}25\,L \div 3 = $ _____ L

**h)** $2{,}316\,L \div 4 = $ _____ L

**i)** $1{,}9\,L \div 2 = $ _____ L

**j)** $1\,L \div 8 = $ _____ L

## À la station d'essence

**1** Voici un tableau indiquant les pleins faits cette semaine par M. Pédro.

| Jour | Quantité (litres) |
|------|-------------------|
| Dimanche | 44,2 |
| Mardi | 34,9 |
| Jeudi | 38,7 |
| Samedi | 45 |

**a)** Quelle quantité d'essence M. Pédro a-t-il achetée cette semaine ? _____

**b)** Avant le plein du jeudi, le réservoir de son automobile contenait exactement 11,65 litres. Quelle est la capacité du réservoir ? _____

**2** Mardi, M. Pédro a aussi acheté 15,5 litres d'essence qu'il a versés dans un bidon. Il a ensuite ajouté 750 mL d'huile dans ce bidon.

**a)** Mardi, combien d'essence a achetée M. Pédro ? _____

**b)** Quelle quantité de liquide y avait-il dans son bidon ?
En litres : _____ En millilitres : _____

**3** Au prix réel d'aujourd'hui, combien coûtent :

**a)** 10 litres d'essence ? _____

**b)** 24 litres d'essence ? _____

**c)** 41,7 litres d'essence ? _____

**Prix affiché aujourd'hui :**

[    ].[  ] **$/L**

**4** Observe l'odomètre de la voiture de M. Pédro, au départ et à l'arrivée. Quelle distance a-t-il parcourue durant ce voyage ? _____

89432 6
90516 2

**5** Observe le tableau d'affichage de la pompe à essence, à droite.

**a)** Explique les données qui sont affichées.

**b)** Si tu ajoutes 9,3 litres d'essence, qu'indiquera alors le tableau électronique ? _____

_____

18,6L
17,30$

## Au supermarché

**1** Tanya dépose une première grappe de raisins sur la balance illustrée à droite. Puis, elle en dépose une seconde. La balance indique alors une masse totale de 0,3 kilogramme.

**a)** Quelle est la masse de la première grappe de raisins ? _____

**b)** Quelle est la masse de la seconde grappe de raisins ? _____

**2** Un litre de jus de légumes coûte 1,79 $. Trouve un prix raisonnable pour un contenant de :

**a)** 4 litres _____

**b)** 3,5 litres _____

**3** Une orange coûte 0,69 $ et une poire, 0,96 $. Jérémie achète 7 fruits au prix total de 5,37 $. Qu'a-t-il acheté ? _____

**4** Mataïka achète 2 kilogrammes de jambon fumé, 5 kilogrammes de poisson surgelé, 3 litres de jus de pomme et 0,5 kilogramme de fromage cheddar. Elle donne 3 billets de 20 $ au caissier. Combien d'argent le caissier lui remet-il ? _____

8,78 $/kg

**Jambon fumé désossé**

12,45 $/kg

**Bifteck de surlonge Catégorie A**

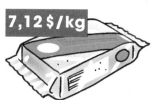

7,12 $/kg

**Fromage cheddar jaune ou blanc**

1,98 $/kg

**Jus de pomme sans sucre**

5,12 $/kg

**Poisson surgelé**

4,69 $/kg

**Cuisses de poulet nourri aux grains**

**Pot-pourri**

**1** Un camion postal part de la ville A. Il doit livrer du courrier au plus vite dans les quatre autres villes figurant sur la carte ci-contre.

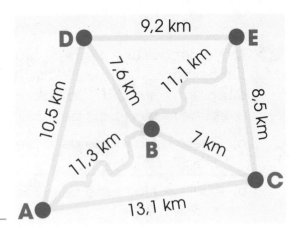

9,2 km

D     E

7,6 km   11,1 km   8,5 km

10,5 km

B

11,3 km     7 km

A     C

13,1 km

**a)** Trace le trajet le plus court.

**b)** Combien de kilomètres ce camion aura-t-il parcourus au moment d'atteindre la dernière ville ? _____

**2** La chambre de Julien mesure 4 mètres sur 3,5 mètres.

**a)** Fais un plan à l'échelle du plancher.

**b)** La bande de papier peint qui fait le tour de sa chambre coûte 3,49 $ le mètre. Combien Julien a-t-il déboursé pour cette bande de papier peint ?_____

**c)** La moquette qu'il a choisie coûte 8,20 $, le mètre carré. Combien Julien a-t-il déboursé pour sa moquette ?

_____

**3** Au restaurant Trois Étoiles, des amis prennent le repas du midi.

- Nadine commande du pâté et une salade.

- Karim prend deux sandwiches et un yogourt.

- Josué mange une soupe et trois crêpes.

Tous prennent du gâteau et un verre de lait, sauf Karim qui commande un jus et une pointe de tarte.

**a)** Rédige l'addition de chacun.

**b)** Ajoute un pourboire raisonnable.

### Menu

| | |
|---|---|
| Soupe.............................. | 0,85 $ |
| Pâté au saumon .............. | 3,15 $ |
| Sandwich ........................ | 1,95 $ |
| Crêpe............................... | 1,37 $ |
| Yogourt........................... | 1,97 $ |
| Salade............................. | 2,29 $ |
| Lait ou jus ...................... | 0,99 $ |
| Gâteau............................ | 1,55 $ |
| Tarte................................ | 1,39 $ |

**4** Pour son voyage d'affaires, Roselyne parcourt 750 kilomètres. Sa voiture consomme 9 litres d'essence par 100 kilomètres. Si le litre d'essence coûte 0,97 $, combien Roselyne débourse-t-elle pour l'essence nécessaire à ce voyage ? _____

# Fractions

Faire des maths,
c'est d'abord faire comme si...

J'imagine un rectangle qui ressemble à mon jardin.

Faire des maths,
c'est ensuite raisonner.

Un sixième et un tiers couvrent la moitié.

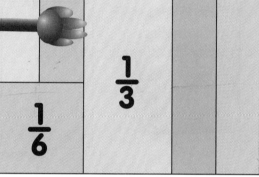

Faire des maths,
c'est aussi communiquer efficacement sa pensée.

Tomates

$$\frac{1}{3} + \frac{1}{6} = \frac{1}{2}$$

# Des fractions en action...

Caboche visite la ferme Lajoie. Il lui faut des heures pour en faire le tour. Pourtant, il est possible de t'en faire une bonne idée en quelques minutes...

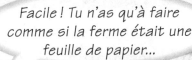

*Facile ! Tu n'as qu'à faire comme si la ferme était une feuille de papier...*

**1** Suis les directives de Caboche pour réaliser le plan de la ferme Lajoie. Utilise une feuille de papier pour faire comme si...

**a)** « Plie ta feuille en deux, dans le sens de la largeur. En remettant la feuille à plat, tu verras le champ de blé à ta droite... »

Colorie cette portion en jaune.

**b)** « Plie encore ta feuille en deux, du bas vers le haut. Tu verras le pâturage, au haut, en remettant la feuille à plat... »

Colorie cette portion en vert.

**c)** « Plie de nouveau ta feuille en deux, dans le sens de la largeur. Les bâtiments se situent dans la zone de gauche au bas de ta feuille à plat... »

Colorie cette partie en rouge.

**d)** « Un dernier pliage, du bas vers le haut, te permet de voir les zones occupées par l'érablière, au bas, et par le potager, au centre. »

Colorie ces lieux pour les différencier.

**2** Dans tes propres mots, décris l'espace qu'occupe le pâturage.

_____

# ... à la ferme Lajoie

**3** Le potager de la ferme Lajoie est partagé en 6 parties rectangulaires. Note où sont placés les plants à partir des indices.

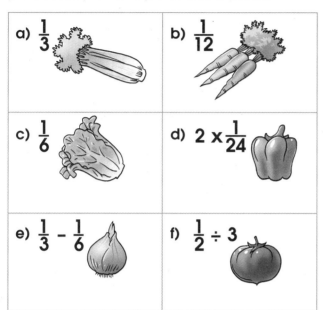

a) $\frac{1}{3}$

b) $\frac{1}{12}$

c) $\frac{1}{6}$

d) $2 \times \frac{1}{24}$

e) $\frac{1}{3} - \frac{1}{6}$

f) $\frac{1}{2} \div 3$

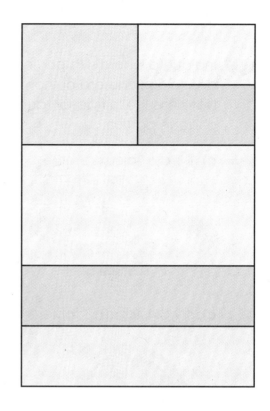

**4** L'étable de la ferme Lajoie est subdivisée en 5 enclos. Note quelle fraction de l'espace est allouée à chaque espèce d'animaux.

**5** Deviens mini-prof. Invente un cas semblable à ceux de cette page.

**a)** Imagine un lieu quelconque que tu pourrais représenter avec une feuille de papier rectangulaire.

**b)** Subdivise ton espace de manière à créer un fractionnement simple.

**c)** Demande à quelques camarades de trouver la fraction associée à chaque partie.

Fiche complémentaire *Fractions* 1

A 3

Les membres de la famille Jaloux vont parfois dîner à la ferme Lajoie. Ces joyeux lurons ont un sens très aiguisé de la justice.

**1** Indique d'abord si la portion prise par l'un des Jaloux causera ou non de la bisbille. Note ensuite la fraction que représente chaque portion.

**a)** Il y a 6 Jaloux à table : _____

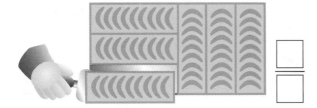

**b)** Il y a 3 Jaloux à table : _____

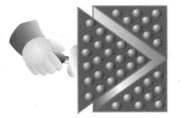

**c)** Il y a 4 Jaloux à table : _____

**d)** Il y a 8 Jaloux à table : _____

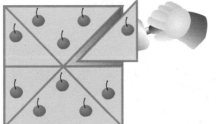

**e)** Il y a 5 Jaloux à table : _____

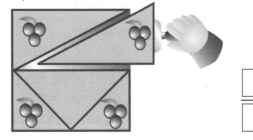

**f)** Il y a 6 Jaloux à table : _____

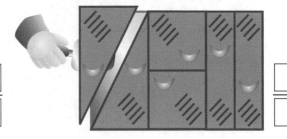

**g)** Il y a 4 Jaloux à table : _____

**h)** Il y a 4 Jaloux à table : _____

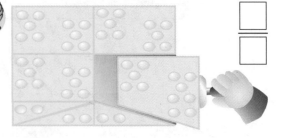

**2** Prouve par pliage les cas plus difficiles du numéro 1.

Observe les deux cas illustrés ci-dessous. Pour chacun, la partie bleue entre **exactement quatre fois dans le tout.** Chaque exemple représente donc, à sa façon, l'idée de **un quart.**

 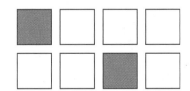

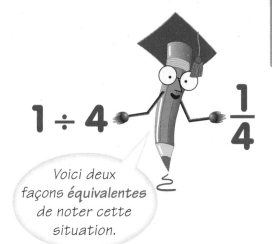

*Voici deux façons équivalentes de noter cette situation.*

**1** Dans chaque cas ci-dessous, complète la phrase et l'expression mathématique qui l'accompagne.

**a)** La partie verte entre ___ fois dans le tout.

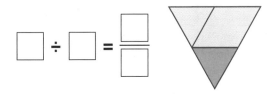

**b)** La partie jaune entre ___ fois dans le tout.

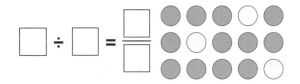

**c)** La partie rouge entre ___ fois dans le tout.

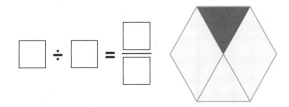

**d)** La partie orange entre ___ fois dans le tout.

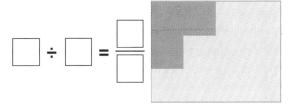

*Le signe de division a été inventé par association avec la fraction...*

**e)** La partie bleue entre ___ fois dans le tout.

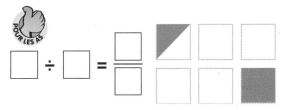

Chaque tableau ci-dessous montre plusieurs façons de représenter la même fraction. Trouve les informations qui manquent.

**a**

| Dessin | Produit | Autres |
|---|---|---|
| Les morceaux de pâté qui sont dans l'assiette. | $\dfrac{\phantom{x}}{\phantom{x}} \times \dfrac{1}{8}$ ou $\dfrac{1}{8} \times \dfrac{\phantom{x}}{\phantom{x}}$ | $\dfrac{3}{8} + \dfrac{\square}{\square}$ |
| | | $2 \times \dfrac{1}{4} + \dfrac{\square}{\square}$ |
| | | $1 - \dfrac{\square}{\square}$ |

| Somme | Fraction | Vocabulaire |
|---|---|---|
| $\dfrac{1}{8} + \dfrac{1}{8} + \dfrac{1}{8} +$ | $\dfrac{\square}{\square}$ | Numérateur : **6** Dénominateur : _____ |

**b**

| Dessin | Produit | Autres |
|---|---|---|
| Dessine la quantité de sirop dans ce pot de 1 litre. | $5 \times \dfrac{1}{6}$ ou | $\dfrac{1}{2} + \dfrac{\square}{\square}$ |
| | | $\dfrac{7}{6} - \dfrac{\square}{\square}$ |
| | | $2 \times \dfrac{1}{6} + \dfrac{\square}{\square}$ |

| Somme | Fraction | Vocabulaire |
|---|---|---|
| | $\dfrac{\square}{\square}$ | Numérateur : _____ Dénominateur : _____ |

**ARRIVÉE**

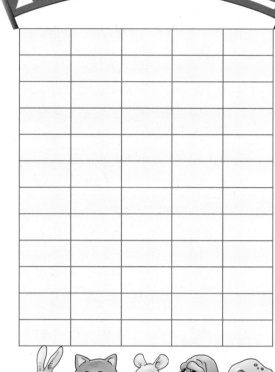

**1** À la ferme Lajoie, une course s'organise entre quelques animaux. Lis bien les indices ci-dessous.

- Pendant que le chat franchit 3 m, le chien n'en parcourt que 2.
- Le lapin court deux fois plus vite que le chat.
- La souris court quatre fois moins vite que le chien, mais deux fois plus vite que la tortue.

**a)** Dessine, dans la piste ci-contre, la position de chaque animal dès que le premier franchit la ligne d'arrivée.

**b)** Note la fraction du parcours franchie par chaque animal à cet instant.

**c)** Donne le classement final à l'aide d'une phrase mathématique utilisant les fractions du point b.

 **d)** Si le lapin n'avait pas couru, quelle fraction de la piste aurait franchie le chien au moment de la victoire du chat ?

**2** Compare chaque couple de nombres ci-dessous. Note ta prédiction à l'aide des signes >, < ou =. Avec une ou un camarade, fais la preuve de chaque cas en effectuant les pliages appropriés.

**a)** $\dfrac{1}{2}$ ◯ $\dfrac{1}{3}$     **b)** $\dfrac{3}{8}$ ◯ $\dfrac{1}{4}$     **c)** $\dfrac{2}{4}$ ◯ $\dfrac{2}{3}$     **d)** $\dfrac{6}{8}$ ◯ $\dfrac{3}{4}$

**e)** $\dfrac{3}{4}$ ◯ $\dfrac{4}{6}$     **f)** $\dfrac{7}{10}$ ◯ $\dfrac{4}{5}$     **g)** $\dfrac{4}{6}$ ◯ $\dfrac{2}{3}$     **h)**  $1\dfrac{2}{3}$ ◯ $\dfrac{5}{4}$

**3**  Reprends le premier cas du numéro 2. Quelle fraction représente la *différence* entre les deux nombres ?

**1** Le tangram est l'un des plus célèbres casse-tête au monde.
Utilise le tien pour résoudre les cas ci-dessous.

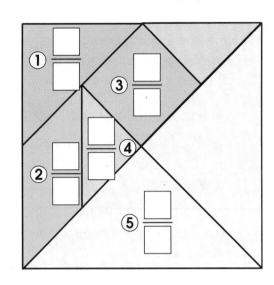

**a)** Note la fraction de la surface totale occupée par chacune des pièces différentes.

**b)** Place les pièces numérotées en ordre croissant de grandeur, à l'aide des fractions qui les représentent.

**2** Utilise ton tangram.

**a)** Tu dois recouvrir exactement la moitié du carré de base que représente un tangram complet. Prends autant de pièces que tu veux. Note tes trouvailles dans un tableau semblable à celui qui est amorcé ci-contre.

**b)** Reprends le travail en couvrant cette fois exactement le quart du carré de base.

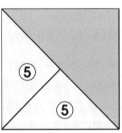

| Pièces utilisées | Phrase |
|:---:|:---:|
| **5 et 5** | $\frac{1}{2} = \frac{1}{4} + \frac{1}{4}$ |
| ... | ... |

*Exemple pour le cas $\frac{1}{2}$*

**3** Ci-contre, un mini-tangram est utilisé. La différence entre le grand et le petit triangle correspond à un quart du carré.

En superposant deux pièces du vrai tangram, constate la différence de surface et note cette différence à l'aide d'une soustraction de fractions, comme dans l'exemple.

**a)** ⑤ et ③          **b)** ⑤ et ④

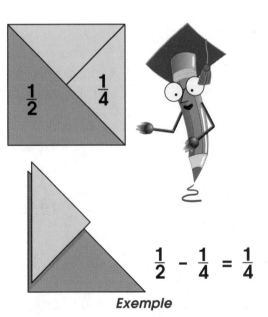

$\frac{1}{2} - \frac{1}{4} = \frac{1}{4}$

*Exemple*

**1** Complète les ensembles ci-dessous à partir des informations qui te sont données.

**a)** Voici la moitié d'un terrain. Dessine tout le terrain.

**b)** Voici le prix d'un quart de litre de jus. Combien coûte le litre de jus ?

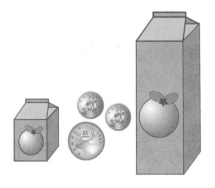

_____

**c)** Voici $\frac{1}{6}$ d'une tablette de chocolat. Dessine toute la tablette.

**d)** Voici la moitié du quart d'un gâteau. Dessine tout le gâteau.

**2** Chacune des figures ci-dessous a été découpée en morceaux. Colorie seulement les parties qui te permettent d'illustrer la fraction indiquée. N'ajoute pas de morceaux. Note également la phrase mathématique qui décrit ta solution.

**a)**

$= \frac{3}{4}$

**b)**

$= \frac{4}{6}$

**c)**

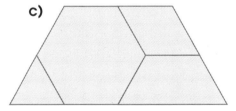

$= \frac{1}{2}$

**d)**

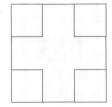

$= \frac{1}{3}$

**e)**

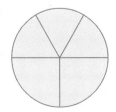

$= \frac{3}{4}$

**f)**

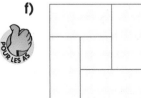

$= \frac{2}{3}$

Fiches complémentaires _Fractions_ 7 et 8

# Un vrai pique-nique...

C'est la fin du pique-nique et il reste
des aliments à conserver...

**1** Regroupe les morceaux de pizza pour utiliser
le moins de boîtes possible.

**a)** Combien de boîtes pleines obtiens-tu ? _____

**b)** Quelle fraction de la boîte
incomplète est occupée ?

**c)** Résume tout ce travail à
l'aide de phrases mathématiques.

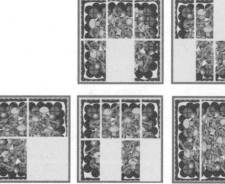

**2** Il reste aussi quatre pots de jus de pomme. Une
fraction indique la quantité contenue dans chaque
pot. Imagine que tu transvides les contenus
pour occuper le moins de pots possible.

**a)** Combien de pots sont nécessaires,
au minimum ? _____

**b)** Résume tout ce travail à l'aide
de phrases mathématiques.

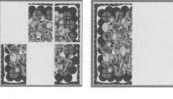

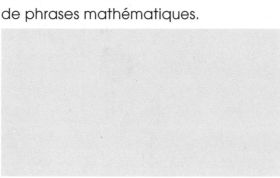

# ... de fractions en papier !

**3** Puisqu'il ne reste qu'un peu de jus d'orange, Troublefête décide de le verser dans le dernier pot de jus de raisin.

- Le jus d'orange remplit seulement un huitième du pot jaune.

- Le jus de raisin remplit les trois quarts du pot bleu.

**a)** Le pot bleu va-t-il déborder ? _____

**b)** Prouve ta réponse à l'aide d'une ou de plusieurs phrases mathématiques.

**4** En effectuant les opérations notées ci-dessous, cherche à découvrir ce qu'elles ont en commun.

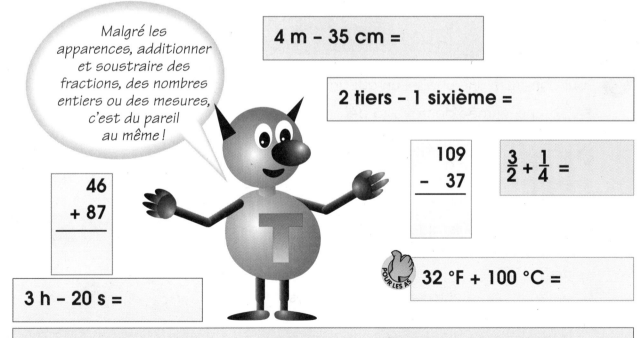

*Malgré les apparences, additionner et soustraire des fractions, des nombres entiers ou des mesures, c'est du pareil au même !*

$$4 \text{ m} - 35 \text{ cm} =$$

$$2 \text{ tiers} - 1 \text{ sixième} =$$

$$\begin{array}{r} 109 \\ -\phantom{0}37 \\ \hline \end{array}$$

$$\frac{3}{2} + \frac{1}{4} =$$

$$\begin{array}{r} 46 \\ +87 \\ \hline \end{array}$$

$$32 \text{ °F} + 100 \text{ °C} =$$

$$3 \text{ h} - 20 \text{ s} =$$

$$7 \text{ centaines} + 8 \text{ unités} - 4 \text{ centaines} + 9 \text{ dizaines} - 3 \text{ unités} =$$

**B 11**

Représente chaque situation ci-dessous par un pliage.
Dessine ensuite le plan qui représente ta solution.

Une feuille de
papier pour faire
comme si...

**1** Madame Dupré consacre $\frac{1}{4}$ de son salaire net
pour payer son loyer et $\frac{5}{8}$ de ce salaire à toutes
ses autres dépenses. Le reste est déposé
dans son compte d'épargne.

**a)** Quelle fraction de son salaire net
madame Dupré épargne-t-elle ?

**b)** Prouve ta réponse à l'aide d'une
ou de plusieurs phrases mathématiques.

**2** Voici une délicieuse recette de jus de fruits :

- $\frac{7}{12}$ du mélange avec du jus d'orange ;

- $\frac{1}{6}$ du mélange avec du jus d'ananas ;

- compléter avec du jus de poire.

**a)** Quelle fraction de la recette représente
le jus de poire ?

**b)** Prouve ta réponse à l'aide d'une
ou de plusieurs phrases mathématiques.

**3** Pour construire une chaise, un artisan doit consacrer :

- $\frac{3}{4}$ d'une journée de travail à découper
et préparer le bois ;

- $\frac{3}{8}$ d'une journée à l'assemblage ;

- $\frac{1}{2}$ journée à la finition.

**a)** Combien de jours faut-il à l'artisan pour accomplir
tout ce travail ? _____

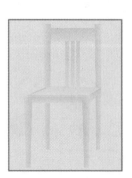

**b)** Prouve ta réponse à l'aide d'une
ou de plusieurs phrases mathématiques.

**1** Chacune des figures ci-dessous a été découpée en morceaux.
Colorie seulement les parties qui te permettent d'illustrer
l'expression indiquée. N'ajoute pas de morceaux.
Complète la phrase mathématique qui décrit ta solution.

a)
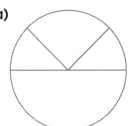

$$\frac{1}{2} + \frac{3}{8} = \underline{\hspace{2cm}}$$

b)
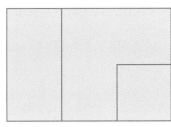

$$\frac{2}{3} - \frac{1}{6} = \underline{\hspace{2cm}}$$

c)
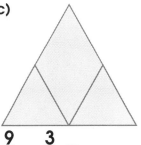

$$\frac{9}{8} - \frac{3}{8} = \underline{\hspace{2cm}}$$

d)
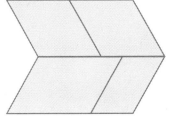

$$\frac{1}{2} + \frac{1}{4} = \underline{\hspace{2cm}}$$

e)
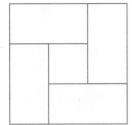

$$2 \times \frac{1}{3} = \underline{\hspace{2cm}}$$

f)

$$1 - \frac{1}{4} = \underline{\hspace{2cm}}$$

g)

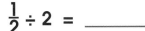

$$\frac{1}{2} \div 2 = \underline{\hspace{2cm}}$$

h)

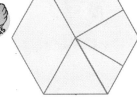

$$\frac{1}{3} \div 4 = \underline{\hspace{2cm}}$$

i)

$$\frac{1}{3} + \frac{1}{6} - \frac{1}{4} = \underline{\hspace{2cm}}$$

**2** Madame Volant quitte Montréal à midi, en direction
de Moncton. Puis,

 elle fait une crevaison à la moitié du quart du trajet ;

 elle soupe après avoir franchi un tiers du trajet ;

 elle dort cinq heures aux trois quarts du trajet ;

 elle reçoit un appel téléphonique alors qu'il ne lui
reste qu'un quart du tiers du chemin à parcourir.

Dessine les icônes et écris les fractions du trajet
aux endroits précis qui sont décrits ci-dessus.

*Montréal*                                                      *Moncton*

L'abaque +/− est un formidable outil pour calculer, peu importe les quantités utilisées.

**1** Troublefête a placé des nombres sur l'abaque +/−. Il veut calculer le résultat de :

**4 − 3 demis + 7 quarts + 6 demis − 8 quarts**

**a)** Ajoute les données qui manquent.

**b)** Avec une ou un camarade, effectue la suite des opérations et note le résultat.

$$4 - \frac{3}{2} + \frac{7}{4} + \frac{6}{2} - \frac{8}{4} =$$

**2** Termine les opérations posées sur chaque abaque +/−. Écris la phrase mathématique qui résume ton travail.

**a)**

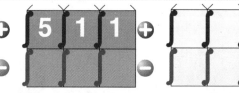

$$9 - 3 + \frac{5}{2} - \frac{6}{2} + \frac{3}{4} - \frac{2}{4} =$$

**b)**

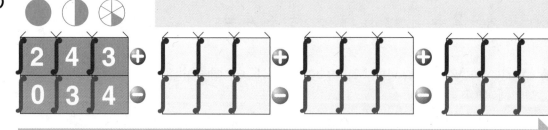

**c)**

POUR LES AS

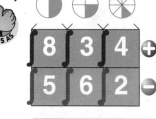

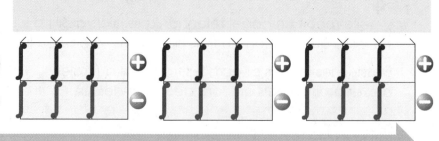

**1** Voici la tablette de chocolat de Samuel.
À la récréation, il en mange la moitié
et en donne un sixième à Sabrina.
Il lui reste encore huit morceaux de chocolat.

    **a)** Quelle fraction de la tablette
représentent les morceaux
qui restent ?
Prouve ta solution à l'aide
d'un pliage ou d'un dessin.

    **b)** Combien de morceaux de chocolat y
avait-il dans la tablette neuve ? _____

**2** Complète les égalités suivantes à l'aide
d'une fraction, après avoir effectué
les calculs sur ton abaque +/–.

    **a)** 10 quarts + 5 demis – 1 quart – 9 demis = _____

    **b)** 7 neuvièmes + 9 tiers – 4 neuvièmes – 7 tiers = _____

    **c)** 5 sixièmes – 1 demi – 7 sixièmes + 3 demis = _____

    **d)** 4 + 3 cinquièmes – 5 cinquièmes – 2 + 3 cinquièmes = _____

    **e)** 1 quart + 7 huitièmes + 2 quarts – 11 huitièmes = _____

    **f)** 5 tiers + 7 sixièmes – 4 tiers – 1 + 7 tiers – 13 sixièmes = _____

    **g)** 5 demis – 8 quarts – 5 huitièmes + 3 quarts – 6 huitièmes = _____

    **h)** 1 – 1 demi – 1 quart – 1 huitième = _____

    **i)** 5 tiers – 1 demi – 5 sixièmes + 3 demis = _____

    **j)** 5 demis – 1 quart + 2 tiers = _____

**3** À toi maintenant de jouer au mini-prof !
Invente trois cas semblables à ceux du problème 2.

Si possible, crée ton exercice à l'aide d'un logiciel
de traitement de texte ou de dessin.

**1** Résous les problèmes suivants et accompagne chaque solution d'un pliage approprié.

**a)** Ce manteau ne coûte que 45 $, car il est soldé au quart du prix normal. Quel est le prix normal ?

Prix : _____

**b)** Voici les $\frac{3}{4}$ d'un sac de cerises. Ajoute les cerises qui manquent.

**c)** Voici les $\frac{2}{5}$ des carreaux d'une fenêtre. Dessine toute la fenêtre.

**d)** Dans une classe, les $\frac{5}{6}$ des élèves sont des filles. Combien y a-t-il de garçons dans cette classe qui compte 20 filles ?

 _____ garçons

**e)** Tom a lu les $\frac{3}{4}$ de son livre. Il est rendu à la page 120. Combien ce livre compte-t-il de pages ?

_____ pages

**f)** Voici les $\frac{2}{3}$ des économies d'Éléa. Combien a-t-elle économisé en tout ?

Toutes les économies d'Éléa : _____

**2** Complète les égalités suivantes à l'aide d'une fraction. Utilise ton abaque +/−.

**a)** 7 neuvièmes + 1 tiers − 5 neuvièmes + 2 neuvièmes = _____

**b)** 2 − 1 sixième + 2 tiers − 4 sixièmes − 1 tiers = _____

**c)** 6 quarts − 3 cinquièmes − 1 quart + 3 quarts = _____

**d)** 3 + 2 tiers + 5 huitièmes − 7 tiers + 3 huitièmes = _____

**e)** 2 × (11 quarts − 3 huitièmes − 5 quarts + 5 huitièmes) = _____

 **f)** 4 + 8 tiers − 3 demis + 2 − 9 tiers − 2 demis − 2 = _____

**g)** $\frac{1}{2}$ quart + $\frac{1}{2}$ demi − 3 huitièmes + 3 quarts − 1 = _____

Au restaurant Chez Fractioné, les pizzas sont prédécoupées.

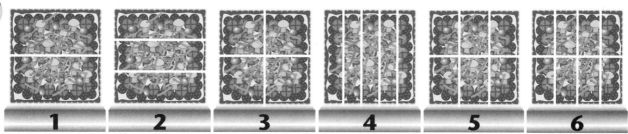

1    2    3    4    5    6

 **1** Si tu désires manger une demi-pizza, que vas-tu commander :

**a)** au comptoir 5 ?

**b)** au comptoir 2 ?

Complète les phrases mathématiques pour exprimer tes commandes.
Prouve tes solutions à l'aide de pliages.

**Au comptoir 5**

$$\frac{1}{2} = \text{\_\_\_\_\_ sixièmes} = \frac{\square}{6}$$

**Au comptoir 2**

$$\frac{1}{2} = \text{\_\_\_\_\_ tiers} = \frac{\square}{3}$$

**2** Il est possible de commander les trois quarts d'une pizza à chacun des comptoirs.
Il te faudra peut-être utiliser des fractions *empilées*... Complète les égalités suivantes.

*Un demi-quart, c'est un huitième...*

**a)** $\dfrac{3}{4} = \dfrac{\square}{2}$

**b)** $\dfrac{3}{4} = \dfrac{\square}{3}$

**c)** $\dfrac{3}{4} = \dfrac{\square}{5}$

**d)** $\dfrac{3}{4} = \dfrac{\square}{6}$

**e)** $\dfrac{3}{4} = \dfrac{\square}{8}$

**3** Complète les égalités suivantes à l'aide de fractions empilées.

**a)** $\dfrac{1}{8} = \dfrac{\square}{2}$

**b)** $\dfrac{3}{2} = \dfrac{\square}{3}$

**c)** $\dfrac{5}{6} = \dfrac{\square}{4}$

**4** Vrai ou faux ? Vérifie chacune des égalités ci-dessous à l'aide d'un dessin ou d'un pliage. S'il y a des erreurs, corrige-les.

**a)** $\dfrac{1}{6} = \dfrac{\frac{2}{3}}{4}$

**b)** $\dfrac{1}{4} = \dfrac{1\frac{1}{2}}{5}$

**c)** $\dfrac{\frac{2}{3}}{2} = \dfrac{1}{3}$

_____          _____          _____

# Perdu d'avance...

La célèbre Foire aux illusions s'est installée en ville.
On invite les touristes à mettre leurs habiletés à l'épreuve
ou à tenter leur chance à différents jeux de hasard.

*Pile, je gagne.
Face, tu perds...*

**1** Lazare Truké propose un jeu de hasard. Trois cubes de différentes couleurs sont placés dans un sac. Tu en tires un. Tu le remets. Tu fais de même deux autres fois.

ou
3 couleurs
identiques

**Tu gagnes !**

ou
2 couleurs
identiques

**Tu perds...**

*Exemples*

Que penses-tu de ce jeu de hasard et des chances de gagner de Caboche ?

**2** Aux gens qui se méfient, Lazare Truké propose une autre version de son jeu. Cette fois, quatre cubes sont placés dans le sac ; deux sont de la même couleur.

Tu gagnes si tu tires deux cubes de suite de la même couleur. Le premier cube tiré est remis dans le sac.

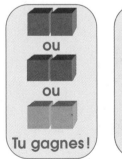

ou

ou

**Tu gagnes !**

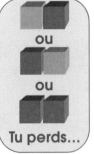

ou

ou

**Tu perds...**

*Exemples*

*Oh !
Je vois un gain
assuré !*

**a)** Que penses-tu des chances de gagner à ce jeu ?

**b)** Prouve tes dires et vérifie par une expérience.

# ... avec Lazare Truké !

Un jeu est dit *honnête* si les chances de gagner sont les mêmes d'un côté comme de l'autre. Les fractions servent à établir l'honnêteté des jeux de hasard.

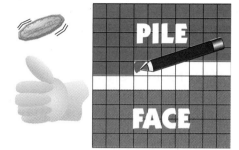

 **3** Le jeu de PILE OU FACE est le plus célèbre jeu de hasard honnête. Pour s'en convaincre, on lance une pièce 100 fois. En répétant souvent l'expérience, on constate que les deux résultats possibles ont des chances égales de se produire.

**a)** Chaque carré de pourcentage ci-contre représente les résultats d'une expérience avec le jeu de PILE OU FACE. Pour chaque cas, note le pourcentage du résultat « pile ».

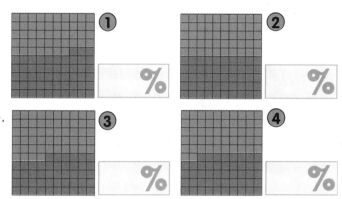

**b)** En équipe, réalise ta propre expérience et enregistre les résultats dans un carré de pourcentage.

**c)** Quel pourcentage obtiens-tu ? _____

**d)** Quelle fraction ordinaire simplifiée permet d'exprimer les chances d'obtenir pile en lançant une pièce ?

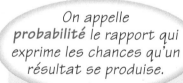

On appelle **probabilité** le rapport qui exprime les chances qu'un résultat se produise.

**4** Pour demain, la station météorologique annonce que des averses sont probables à 80 %.

**a)** Représente cette prévision en rouge dans le carré de pourcentage ci-contre.

90 %

$\dfrac{1}{6}$

2 fois sur 3

1 chance contre 3

**b)** Quelle est la fraction ordinaire simplifiée qui exprime la probabilité qu'il ne pleuve pas demain ?

**5** Lazare Truké vend des porte-bonheur censés améliorer les chances de réussir. Imagine une expérience qui permet de vérifier l'effet d'un porte-bonheur.

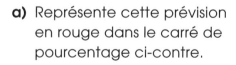

*Fers chanceux*
*Seulement 8,99 $*

*Poudre de perlimpinpin*
*Seulement 5,99 $*

Fiche complémentaire *Fractions* 11

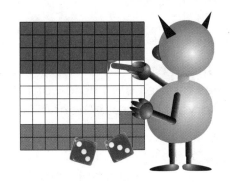

**1.** Voici quatre jeux de hasard. Établis l'honnêteté de chacun en procédant à une expérience. Colorie tes résultats dans le carré de pourcentage. Note le pourcentage et la fraction ordinaire simplifiée qui décrivent le plus précisément possible la probabilité de réussir.

**a)** Dans un jeu de cartes ordinaire, tirer une carte rouge.

Honnête ? _____
Probabilité de réussir :

_____ %

**b)** Lancer un dé et une pièce de monnaie. Obtenir face et un nombre impair.

Honnête ? _____
Probabilité de réussir :

_____ %

**c)** Au jeu des animaux bizarres, tirer les deux parties du même animal.

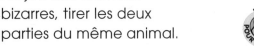

cas   tor   liè   vre

re   guar

va   che

cou   nard

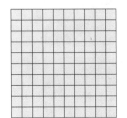

Honnête ? _____
Probabilité de réussir :

_____ %

**d)** Dans un jeu de cartes ordinaire, tirer une carte paire. L'as vaut 1 et le roi vaut 13.

*POUR LES AS*

Honnête ? _____
Probabilité de réussir :

_____ %

**2.** Dans un sac opaque, tu places les solides illustrés ci-contre. Pour gagner, Domino doit tirer un prisme. Quelle fraction ordinaire simplifiée décrit la probabilité de gain ?

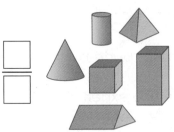

**1** Pour savoir qui jouera les blancs aux échecs, Troublefête propose de tirer à pile ou face. Caboche n'a pas de pièce et suggère de faire comme si avec la roulette illustrée ci-contre.
Comment cette roulette peut-elle remplacer une pièce de monnaie ? _____

_____

**2** Pour chaque jeu de hasard proposé ci-dessous, imagine une roulette qui pourrait le remplacer.
Divise chaque roulette en conséquence.
Note aussi les informations demandées.

**a)** Lancer un dé et ne pas obtenir un nombre carré.

**b)** Dans un jeu de cartes ordinaire, ne pas tirer un coeur.

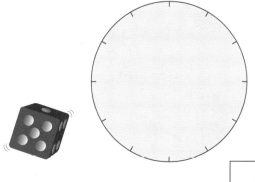

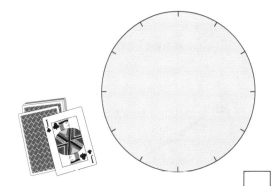

Probabilité de réussir : ⬜/⬜

Probabilité de réussir : ⬜/⬜

**c)** Deviner le mois de naissance d'une personne que tu ne connais pas.

**d)** Lancer deux dés de couleurs différentes et obtenir un total supérieur à 7.

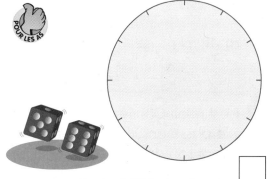

Probabilité de réussir : ⬜/⬜

Probabilité de réussir : ⬜/⬜

Fiche complémentaire *Fractions* 13

Le cadran de l'horloge représente un diagramme circulaire.
Comme sur une roulette de jeu, on peut y trouver des fractions.

**1** Sur chaque cadran, dessine la position de la grande
aiguille après la période indiquée. Quelle heure sera-t-il ?

**a)** Dans $\frac{1}{2}$ heure, **b)** Dans $\frac{1}{4}$ d'heure, **c)** Dans $\frac{2}{3}$ d'heure, **d)** Dans $\frac{5}{6}$ d'heure,

il sera _____. il sera _____. il sera _____. il sera _____.

**2** Quelle fraction d'heure s'est écoulée aujourd'hui
sur chaque cadran, depuis le moment indiqué ?
Utilise une **fraction irréductible**.

**a)** 22:00 ⬜/⬜  **b)** 13:20 ⬜/⬜  **c)** 17:10 ⬜/⬜  **d)** 14:25 ⬜/⬜

**3** Transforme les intervalles de temps suivants en fractions
d'heure. Utilise des fractions irréductibles.

**a)** 10 min  **b)** 45 min ⬜/⬜ **c)** 25 min  **d)** 48 min ⬜/⬜

**4** Il est midi. Charlène prend trois quarts d'heure pour dîner.
Elle passe ensuite une demi-heure à écouter de la musique
avant son cours d'éducation physique. Ce cours dure une
heure et un tiers. Après une récréation d'un quart d'heure,
Charlène reste trois quarts d'heure en classe.
Quelle heure est-il à la fin de cette période ? _____

**1** Pour payer le grand voyage annuel de leur école, les élèves ont organisé un marathon de danse d'une durée de 12 heures.

**a)** À partir des commentaires des participantes et des participants, compose un tableau permettant d'ordonner leurs performances selon l'endurance de chacun. Ton tableau devrait également montrer à quelle fraction du marathon correspond chaque performance. Un pliage ou un dessin devrait t'aider à prouver tes résultats.

**Olga:** «Je ne me sentais pas très bien. Je n'ai dansé que le $\frac{1}{6}$ du temps prévu.»

**Carl:** «J'ai dansé $\frac{1}{3}$ du marathon de plus que Bianca.»

**Anthony:** «J'ai réussi à tenir le coup durant 75 % du temps prévu.»

**Ève:** «J'ai dansé 10 heures de plus que Olga.»

| Prénom | Temps | Fraction | Rang |
|--------|-------|----------|------|
|        |       |          |      |
|        |       |          |      |
|        |       |          |      |
|        |       |          |      |
|        |       |          |      |

**Bianca:** «À mi-chemin, j'étais bien fatiguée. J'ai poursuivi une heure de plus avant de me retirer.»

**Francis:** «J'ai dansé $\frac{1}{2}$ marathon de plus que Olga.»

**b)** Ceux et celles qui ont résisté plus de huit heures ont reçu la médaille du courage. Qui a reçu une médaille?

_____

**2** Complète les égalités suivantes à l'aide d'une fraction irréductible, après avoir effectué les calculs sur ton abaque +/−.

**a)** 9 quarts + 3 demis − 3 quarts − 1 demi = _____

**b)** 7 huitièmes + 1 quart + 3 huitièmes − 1 demi + 3 quarts = _____

**c)** 3 quarts + 3 demis + 3 huitièmes − 5 quarts − 4 huitièmes = _____

**d)** 3 unités + 2 tiers − 5 sixièmes − 4 tiers + 1 sixième = _____

**e)** 2 unités − 3 quarts − 5 huitièmes = _____

**f)** (1 quart + 5 huitièmes + 1 demi) × 2 = _____

**g)** (1 tiers + 5 sixièmes − 5 douzièmes) ÷ 3 = _____

**h)** 1 − 1 tiers − 1 sixième − 1 douzième = _____

**i)** 7 quarts − 5 demis + 3 huitièmes = _____

**FRACTIONS** 89

**1** Quand madame Claire Taché mourut, elle laissa sa fortune à ses quatre filles. Madame Taché enseignait les mathématiques et l'on reconnut bien son style taquin à la lecture du testament.

« À Rose, l'aînée, je lègue 3 demi-cinquièmes de ma fortune. Violette aura droit aux deux tiers du quart de mon avoir tandis que Blanche recevra $\frac{1}{12}$ de plus que Perle qui touchera exactement $\frac{1}{5}$ de tout le montant. Les 12 000 $ qui restent iront à des oeuvres de charité. Pour avoir droit à sa part, chacune de mes filles bien-aimées devra découvrir le montant exact que je lui ai réservé. »

**a)** À combien s'élève l'héritage que lègue madame Taché et quelle est la part de chacune de ses filles ? _____

**b)** Illustre ta solution en faisant comme si le carré ci-contre représentait tout l'héritage.

**2** Effectue les opérations suivantes. Utilise au besoin ton abaque $+/-$.

**a)** $\frac{3}{8} + \frac{2}{8} - \frac{1}{8} = $ _____

**b)** $\frac{2}{3} + \frac{1}{6} - \frac{1}{3} = $ _____

**c)** $3 \times \frac{1}{5} + \frac{4}{5} = $ _____

**d)** $\frac{1}{2} - \frac{1}{6} - \frac{1}{3} = $ _____

**e)** $1\frac{2}{5} + 2\frac{1}{5} - 1\frac{1}{5} + \frac{7}{5} - \frac{4}{5} = $ _____

**f)** $\frac{3}{4} \div 3 = $ _____

**g)** $\frac{1}{2} - \frac{2}{5} = $ _____

**h)** $\frac{1}{4} + \frac{5}{12} + 3 = $ _____

**i)** $4\frac{3}{4} + 2\frac{1}{2} + 3\frac{3}{4} + 4\frac{1}{2} + 5\frac{1}{8} + 1\frac{5}{8} + \frac{1}{4} + \frac{1}{2} + 1\frac{1}{8} + \frac{5}{8} = $ _____

**j)** $\frac{1}{3} \div 2 \div 4 = $ _____

**k)** $\left(\frac{1}{6} \div 2\right) + \left(\frac{1}{2} \div 2\right) = $ _____

Jeux de nombres

# Trucs et astuces...

Il était une fois une reine nommée Blanche Mémoire. Ne sachant pas très bien compter, elle devait souvent se fier à des marchands malhonnêtes qui manipulaient ses comptes.

Un jour, un sage vient la visiter au château. Mis au courant des déboires de la reine, le savant lui enseigne alors tous les trucs de calcul qu'il possède...

Pour aider la reine dans ses multiplications, le sage lui demande d'étendre ses mains.

Une main peut représenter un nombre de 6 à 10. Pour y arriver, il suffit de faire comme si on avait commencé le compte sur les orteils placés du même côté...

> *Placez ainsi vos mains, juste au-dessus d'une table. Pour 9 x 8, chaque facteur sera représenté par une main.*

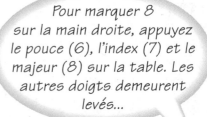

> *Pour marquer 8 sur la main droite, appuyez le pouce (6), l'index (7) et le majeur (8) sur la table. Les autres doigts demeurent levés...*

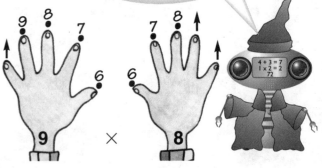

Il faut ensuite marquer le 9 sur la main gauche. Pour obtenir la réponse, il ne reste qu'à compter.
Doigts appuyés : 4 + 3 = 7 pour les dizaines ;
Doigts levés :      1 × 2 = 2 pour les unités.
Réponse : 72.

# ... du calcul efficace

À ton tour d'essayer la calculette manuelle
de la reine Blanche Mémoire...

 Quels facteurs sont représentés sur chaque main
ci-dessous ? Les doigts marqués d'un point
touchent la table.

a) 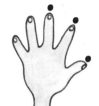   b)    c)    d)

_____   _____   _____   _____

② Pour chacun des cas suivants, note les facteurs représentés.
Complète aussi la phrase mathématique décrivant la réponse.

a)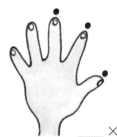

____ × ____

____ dizaines + ____ unités = ____

b)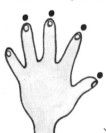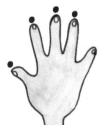

____ × ____

____ dizaines + ____ unités = ____

c)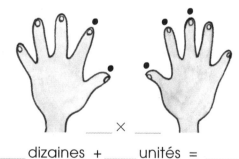

____ × ____

____ dizaines + ____ unités = ____

d)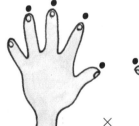

____ × ____

____ dizaines + ____ unités = ____

e)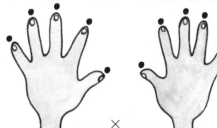

____ × ____

____ dizaines + ____ unités = ____

f)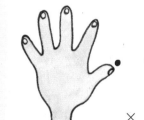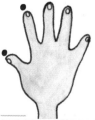

____ × ____

____ dizaines + ____ unités = ____

La multiplication est la colonne vertébrale de l'arithmétique. Elle prend de nombreux visages.

Plusieurs personnes ne voient dans 3 × 5 qu'une addition répétée. Pourtant...

**1** Voici diverses manifestations concrètes de la multiplication. Complète les phrases mathématiques qui les représentent.

**a)** Mesure d'une surface rectangulaire

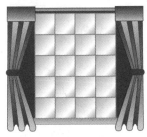

**1** Combien de carreaux cette fenêtre compte-t-elle ?

_____ × _____ = _____

├——3 mètres——┤

**2** Quelle quantité de papier peint faut-il acheter pour couvrir ce mur ?

_____ × _____ = _____

**b)** Combinaison de deux ensembles

**1** Combien de cornets à une boule différents peut-on obtenir ?

_____ × _____ = _____

**2** De combien de façons différentes peut-on s'habiller ?

_____ × _____ = _____

**c)** Addition répétée

**1** Que coûtent 3 casquettes à 6 $ chacune ?

_____ × _____ = _____

**2** Combien 5 tricycles ont-ils de roues ?

_____ × _____ = _____

**2**  Chaque cas du numéro 1 peut être représenté au moyen d'un tableau à double entrée, semblable à celui qui est illustré ci-contre.
Avec quelques camarades, montre comment cela est possible.

| | ? | ? | ? | ? |
|---|---|---|---|---|
| ? | | | | |
| ? | | | | |
| ? | | | | |

# Soccer mathématique

Rien de tel qu'une partie de soccer mathématique pour égayer le calcul rapide !
Voici un exemple pour le soccer à sept.

Mise au jeu : Le centre des Jaunes (1) est le plus rapide.

Le numéro 1 des Jaunes a déjoué les six premiers adversaires.
Mais la gardienne des Rouges a été plus rapide que lui.

La gardienne des Rouges est stoppée par la joueuse numéro 2
des Jaunes. Celle-ci passe à l'attaque ; elle va tenter de marquer
contre la gardienne des Rouges revenue défendre son but.

Dans le château des nombres,
le sage D3D4 révèle à la reine
Blanche Mémoire les plus précieux
secrets du calcul efficace.

| 900 | 910 | 920 | 930 | 940 | 950 | 960 | 970 | 980 | 990 |
| 800 | 810 | 820 | 830 | 840 | 850 | 860 | 870 | 880 | 890 |
| 700 | 710 | 720 | 730 | 740 | 750 | 760 | 770 | 780 | 790 |
| 600 | 610 | 620 | 630 | 640 | 650 | 660 | 670 | 680 | 690 |
| 500 | 510 | 520 | 530 | 540 | 550 | 560 | 570 | 580 | 590 |
| 400 | 410 | 420 | 430 | 440 | 450 | 460 | 470 | 480 | 490 |
| 300 | 310 | 320 | 330 | 340 | 350 | 360 | 370 | 380 | 390 |
| 200 | 210 | 220 | 230 | 240 | 250 | 260 | 270 | 280 | 290 |
| 100 | 110 | 120 | 130 | 140 | 150 | 160 | 170 | 180 | 190 |
| Entrée 00 | 10 | 20 | 30 | 40 | 50 | 60 | 70 | 80 | 90 |

**1** Comment Blanche Mémoire peut-elle effectuer les calculs suivants sans s'égarer dans les dédales du château des nombres ? Note chaque trajet.

**a)** 240 + 390

_____ = _____

**b)** 670 – 180

_____ = _____

**c)** 450 + 90

_____ = _____

**d)** 510 – 80

_____ = _____

**e)** 670 + 150

_____ = _____

**f)** 860 – 270

_____ = _____

**g)** 390 + 520

_____ = _____

**h)** 700 – 460

_____ = _____

**2** La superplanche est un précieux outil qui permet d'appliquer le procédé de compensation. Chaque cas ci-dessous illustre une opération pour laquelle on utilise la compensation. Décris comment à l'aide d'une phrase mathématique.

**a)** 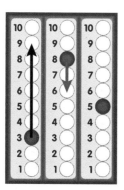  **b)** 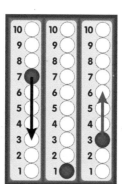  **c)** 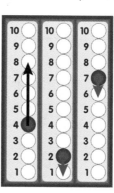  **d)**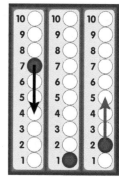

**a)** 385 + 600 – _____ = 385 + _____ = _____

**b)**

**c)**

**d)**

**3** Utilise ta superplanche pour illustrer et vérifier les opérations du numéro 1.

Le sage recommande à Blanche Mémoire de mémoriser les complémentaires de 10 et de 100 qui permettent d'arrondir des nombres.

Observe comment D3D4 utilise ces connaissances pour simplifier ses calculs.

*Quelle compensation puis-je vous offrir pour ce précieux conseil ?*

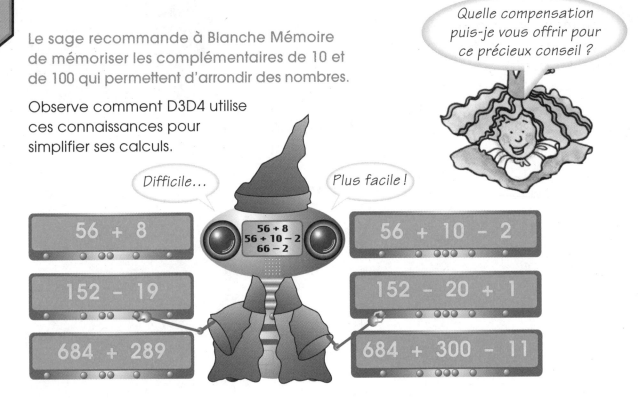

*Difficile...*

*Plus facile !*

| 56 + 8 |
| 56 + 10 − 2 |
| 66 − 2 |

56 + 8          56 + 10 − 2

152 − 19          152 − 20 + 1

684 + 289          684 + 300 − 11

**1** À l'aide de ta superplanche, explique le procédé de compensation adopté par D3D4 pour chacun des cas ci-dessus.

**2** Voici le jeu du NOMBRE CACHÉ. Élimine toutes les combinaisons de deux cases qui font 1 000. Le nombre caché est celui qui demeure tout seul à la fin.

| 642 | 719 | 283 | 347 | 546 | 753 | 438 | 717 | 481 |
| 193 | 374 | 448 | 861 | 442 | 391 | 483 | 641 | 183 |
| 337 | 653 | 519 | 517 | 529 | 454 | 358 | 552 | 139 |
| 562 | 609 | 247 | 716 | 663 | 558 | 347 | 633 | 626 |
| 639 | 817 | 361 | 653 | 471 | 359 | 284 | 281 | 807 |

**3** Deviens mini-prof.

**a)** Invente une grille pour jouer au NOMBRE CACHÉ. Si possible, réalise ton oeuvre à l'ordinateur. Garde ta réponse secrète.

**b)** Échange ton problème contre celui de quelques camarades.

La compensation, une importante composante du calcul efficace, peut être représentée par un tableau.

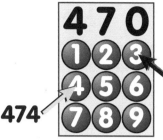

*Exemple 1*

 L'exemple 1 ci-contre t'indique comment utiliser le tableau de compensation.

La flèche bleu montre comment entrer le nombre 474. Fais-le avec la pointe d'un crayon.

a) Quel nombre est indiqué par la flèche noire dans l'exemple 1 ?

b) L'exemple 2 ci-contre illustre comment effectuer 479 + 314 au moyen du tableau de compensation.

Refais le tracé à partir de 479 et complète l'égalité.

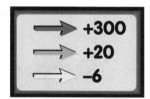

c) Fais le même travail sur ta superplanche.

Explique le lien avec chaque flèche.

Le tableau de compensation te permet donc d'éviter systématiquement les retenues et les emprunts. Commode et efficace !

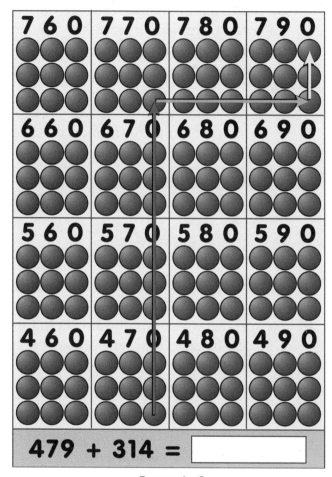

*Exemple 2*

 À l'aide du tableau de compensation, effectue les opérations ci-dessous en évitant les retenues et les emprunts.

a)
```
   3 7 6
 + 2 1 0
```

b)
```
   2 3 2
 + 6 4 5
```

c)
```
   5 6 4
 + 1 9 1
```

d)
```
   1 5 9
 + 4 8 8
```

e)
```
   4 7 8
 + 2 9 5
```

f)
```
   6 8 9
 - 3 2 0
```

g)
```
   7 6 6
 - 4 1 5
```

h)
```
   8 4 3
 - 2 1 8
```

i)
```
   7 4 6
 - 3 7 4
```

j)
```
   6 0 2
 - 3 9 9
```

# Dans la vie, il y a...

| | 1^re | 2^e | 3^e |
|---|---|---|---|
| Aigles | 1 | 1 | 3 |
| Tigres | 2 | 1 | 0 |

Plusieurs situations de la vie quotidienne mettent en jeu des forces ou des quantités qui s'opposent.

**1** Un match de hockey vient de prendre fin. Les Aigles affrontaient les Tigres. Le tableau indicateur ci-contre affiche les buts marqués par les deux équipes.

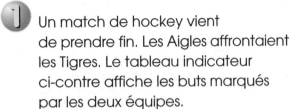

**a)** À partir des données disponibles, quels commentaires peux-tu faire au sujet de la performance des Aigles à chaque période ?

1^re : _____

2^e : _____

3^e : _____

**b)** Qui a gagné la partie ? _____

**2** Au zoo, un agent de sécurité enregistre les entrées et les sorties. Cela lui permet de savoir s'il reste ou non des visiteurs à l'heure de la fermeture. Que sais-tu de la situation actuelle ? _____

_____

| Entrées | 51 | 32 | 104 |
|---|---|---|---|
| Sorties | 49 | 27 | 47 |

**3** L'illustration de droite résume les ajouts et les retraits de pièces de monnaie effectués, aujourd'hui, dans une tirelire.

| + | 4 | 3 | 6 |
|---|---|---|---|
| − | 2 | 5 | 2 |
| | | | |

**a)** De combien tout cela modifie-t-il le contenu de la tirelire ? _____

**b)** Fais le bilan des ajouts et des retraits résumés dans chaque tableau ci-dessous.

| + | 8 | 1 | 3 |
|---|---|---|---|
| − | 3 | 8 | 9 |
| | | | |

| + | 3 | 9 | 12 |
|---|---|---|---|
| − | 6 | 5 | 20 |
| | | | |

POUR LES AS

| + | 4 | 7 | 4 | 1 | 9 |
|---|---|---|---|---|---|
| − | 5 | 2 | 2 | 8 | 2 |
| | | | | | |

_____

# ... des hauts et des bas !

Une compagnie cotée à la Bourse est comme un immense casse-tête. Les pièces imaginaires sont réparties entre toutes les personnes ayant investi dans l'entreprise : ce sont les actions. Elles valent un certain montant qui varie selon le marché.

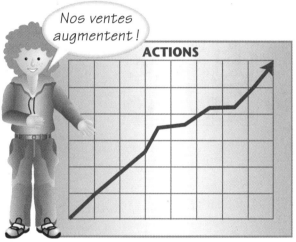

*Nos ventes augmentent !*

**ACTIONS**

Quand les affaires de la compagnie Tacots en gros vont bon train et que les bonnes nouvelles s'accumulent, la valeur de ses actions est en hausse.

*Il faut fermer deux succursales.*

**ACTIONS**

Mais quand les contre-performances et les mauvaises nouvelles surviennent, les actions de Tacots en gros perdent de leur valeur.

En jouant à MINI-BOURSE, tu connaîtras, toi aussi, les hauts et les bas que vivent les gens qui investissent à la Bourse.

**4** Observe bien le tableau ci-contre. On y a noté des variations de la valeur des actions de quatre compagnies. Si chaque action valait 10 $ au départ, trouve sa valeur finale.

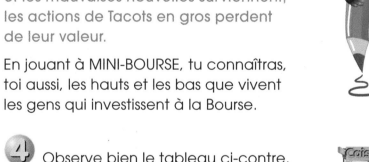

| | Caisse yop | Hélo séki | Pétro plus | Tacots en gros |
|---|---|---|---|---|
|  ☺ ⬆ | 58 ¢ | 13 ¢ | 1,00 $ | 36 ¢ |
| ☹ ⬇ | 19 ¢ | 41 ¢ | 89 ¢ | 1,12 $ |

**a)** Caisse Yop : _____

**b)** Hélo Séki : _____

**c)** Pétro Plus : _____

**d)** Tacots en gros : _____

① Au jeu de MINI-BOURSE, tu possèdes des actions dans les trois compagnies apparaissant ci-contre.

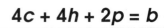

**a)** Encercle la compagnie qui déçoit le plus ses actionnaires.

**b)** La phrase mathématique ci-contre résume le nombre d'actions de chaque sorte que tu possèdes. Complète les calculs pour établir ton bilan (b).

$$4c + 4h + 2p = b$$

② Analyse chaque cas ci-dessous comme tu l'as fait au numéro 1.

*Les nombres -4, 0 et +2 sont des entiers relatifs.*

**a)**

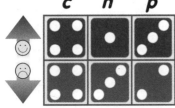

$$2c + 2h + 6p = b$$

**b)**

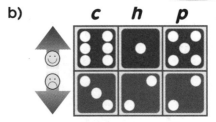

$$2c + 5h + 3p = b$$

**c)**

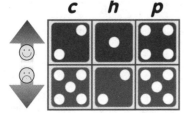

$$3c + 4h + 3p = b$$

**d)**

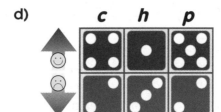

$$1c + 6h + 3p = b$$

**e)**

$$4c + 2h + 4p = b$$

**f)**

$$6c + 2h + 2p = b$$

1 Le tableau ci-dessous décrit les variations subies par les actions boursières de quelques compagnies. Imagine que ces actions ont toutes été émises le 1er janvier de l'année dernière.

Les colonnes indiquent la variation subie par chaque action, en dollars, à la fin de chacun des six premiers mois qui ont suivi.

| Compagnie et valeur de l'action le 1er janvier | | Janvier | Février | Mars | Avril | Mai | Juin | Variation totale | Prix au 30 juin |
|---|---|---|---|---|---|---|---|---|---|
| ALADIN | 26 $ | +1 | +2 | +1 | –2 | –3 | +2 | +1 | 27 $ |
| BIOMED | 30 $ | –2 | –1 | +3 | –2 | –1 | +1 | | |
| CHOCO | 25 $ | –1 | –3 | 0 | +2 | +3 | +4 | | |
| DÉCO | 24 $ | –1 | +1 | +2 | –2 | 0 | –3 | | |
| EMPIRE | 22 $ | 0 | +4 | –1 | –2 | +3 | | +6 | |
| FOU-RIRE | 26 $ | –1 | –1 | –2 | +3 | | +3 | –1 | |
| GALOPIN | 48 $ | | –2 | 0 | –1 | –4 | +1 | | 44 $ |
| HOURRA | 43 $ | +2 | | +2 | +2 | –1 | –3 | | 42 $ |

a) Remplis le tableau.

b) Quelle action a connu la plus forte hausse en dollars, de janvier à juin ? _____

c) Quelle action a subi la plus forte baisse en dollars, durant cette même période ? _____

d) Laquelle des compagnies Déco ou Galopin a connu la pire performance selon les données du tableau ci-dessus ? Explique pourquoi.

_____

_____

VÉRIFIE

2 Le diagramme à ligne brisée ci-contre illustre la variation du prix des actions des compagnies Jujube (J) et Koala (K). Dresse pour chacune un tableau semblable à celui du numéro 1.

3 Trace le diagramme à ligne brisée de chacune des compagnies du numéro 1 en t'inspirant du modèle ci-contre.

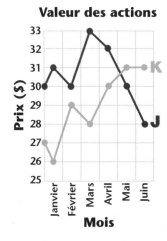

**Valeur des actions**

**1** Chaque jour d'une semaine, un relevé de température est pris à 8 h, à 16 h et à 24 h. On note alors la variation depuis la dernière lecture dans un tableau comme celui présenté ci-contre.

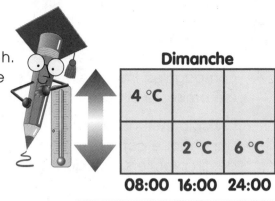

**Dimanche**

| | | |
|---|---|---|
| 4 °C | | |
| | 2 °C | 6 °C |
| 08:00 | 16:00 | 24:00 |

a) Si la dernière lecture de la veille était de 0 °C, qu'indique le thermomètre à minuit, le dimanche ? _____

Complète la phrase mathématique.

0 +

b) Fais de même pour les six autres jours.

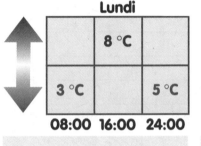

**Lundi**

| | | |
|---|---|---|
| | 8 °C | |
| 3 °C | | 5 °C |
| 08:00 | 16:00 | 24:00 |

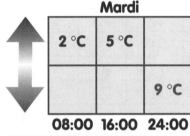

**Mardi**

| | | |
|---|---|---|
| 2 °C | 5 °C | |
| | | 9 °C |
| 08:00 | 16:00 | 24:00 |

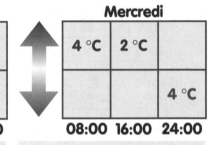

**Mercredi**

| | | |
|---|---|---|
| 4 °C | 2 °C | |
| | | 4 °C |
| 08:00 | 16:00 | 24:00 |

**Jeudi**

| | | |
|---|---|---|
| | 4 °C | |
| 2 °C | | 3 °C |
| 08:00 | 16:00 | 24:00 |

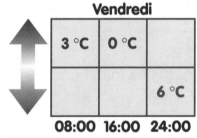

**Vendredi**

| | | |
|---|---|---|
| 3 °C | 0 °C | |
| | | 6 °C |
| 08:00 | 16:00 | 24:00 |

**Samedi**

| | | |
|---|---|---|
| 4 °C | 1 °C | |
| | | 7 °C |
| 08:00 | 16:00 | 24:00 |

**2** Un diagramme à ligne brisée permet de visualiser les variations de température notées durant la semaine du numéro 1. Réfère-toi au diagramme commencé ci-contre pour répondre aux questions suivantes.

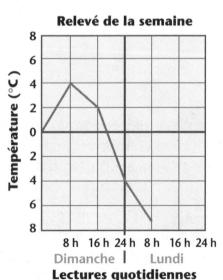

a) Quelle est la température à 16 h, le dimanche ? _____

b) Quelle est la température à 8 h, le lundi ?

_____

c) Complète le diagramme du lundi et des cinq autres jours du relevé.

Fiche complémentaire *Jeux de nombres* 9

La mémoire de la calculette fonctionne un peu comme un thermomètre.

**1 2 3 4 5 6 7 8** ᴹ

Le voyant de la mémoire s'affiche dès que le nombre qui s'y trouve est différent de zéro.

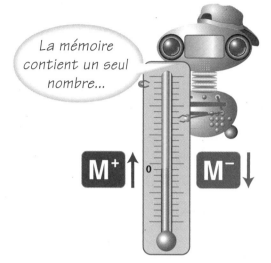

La mémoire contient un seul nombre...

 **M⁺** Cette touche permet d'additionner un nombre dans la mémoire.

 **M⁻** Cette touche permet de soustraire un nombre dans la mémoire.

 **RM** Cette touche de rappel sert à afficher la fenêtre de la mémoire.

 **CM** Cette touche efface et remet la mémoire à zéro.

Deux fonctions sont souvent réunis sur une même touche.

* Rappel : appuyer 1 fois → **RM/CM**
* Effacement : appuyer 2 fois → **RM/CM**

**1** L'abaque +/– ci-contre illustre une suite de six touches combinant les deux boutons d'opération de la mémoire.

a) Fais le bilan de cette suite de touches.

b) Mets la mémoire de ta calculette à zéro et vérifie ta prédiction.

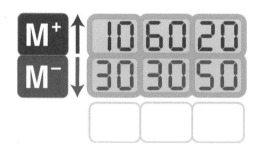

**2** Pour chaque suite de touches ci-dessous, prédis le nombre résultant dans la mémoire. Remets la mémoire à zéro avant de vérifier.

a)

b)

c)

d)

e)

POUR LES AS f) 7 | + | 5 | CE | 3 | = | M⁺ | M⁻ | M⁻ | RM _____

g)

**1** Les deux situations ci-contre représentent la même opération. Le bilan sur l'abaque +/– montre comment obtenir le résultat. Fais de même pour chacun des cas suivants.

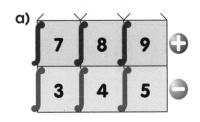

c d u

$$500 - 50 + 2 = 452$$

a)
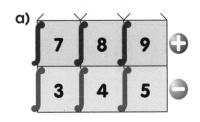

7 8 9 ⊕
3 4 5 ⊖

____ ____ ____

b)
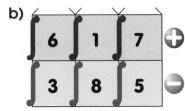

6 1 7 ⊕
3 8 5 ⊖

c)
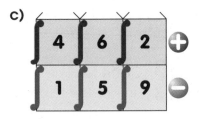

4 6 2 ⊕
1 5 9 ⊖

d)
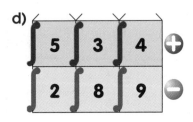

5 3 4 ⊕
2 8 9 ⊖

____ ____ ____

e)
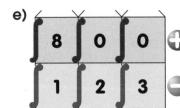

8 0 0 ⊕
1 2 3 ⊖

f)

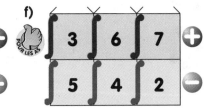

3 6 7 ⊕
5 4 2 ⊖

**2** Effectue les calculs ci-dessous en utilisant la technique directe découlant du procédé illustré au numéro 1.

a) 8 1 4
  – 3 6 2

b) 6 5 3
  – 1 4 2

c) 9 4 0
  – 2 1 8

d) 7 1 2
  – 4 8 6

e) 4 0 0
  – 2 7 9

 f) 5 2 4
  – 6 8 9

g) 4 6 5
  – 5 4 0

h) 3 2 6
  – 7 5 1

i) 6 5 3
  – 9 1 8

j) 3 7 8 0
  – 9 6 8 4

**1** Chaque phrase mathématique ci-dessous décrit un portefeuille boursier. Les variables représentent des hausses ou des baisses, en cents, de la valeur des actions de diverses compagnies. Fais le bilan.

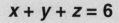

Les lettres *x*, *y* et *z* sont souvent utilisées comme *variables*.

$$x + y + z = 6$$

a) $x + y =$ _____

   où $x = +5$ et $y = -7$

b) $2x + 3y =$ _____

   où $x = -4$ et $y = +3$

c) $3x + 2y + z =$ _____

   où $x = -1$, $y = +3$ et $z = -6$

d) $4x + y + 5z =$ _____

   où $x = -1$, $y = +9$ et $z = -2$

e) $2x + 7y + 4z =$ _____

   où $x = -6$, $y = +4$ et $z = -4$

f) $2x + 5y + 3z =$ _____

   où $x = -3$, $y = -4$ et $z = +9$

**2** Place les portefeuilles du numéro 1 en ordre croissant, selon leur performance.

Note les résultats dans une seule phrase mathématique en employant les signes de comparaison.

**3** Pour chaque équation ci-dessous, trouve deux solutions différentes. N'utilise jamais la valeur zéro.

a) $x + y + z = 0$

   $x =$ _____ $y =$ _____ $z =$ _____

   $x =$ _____ $y =$ _____ $z =$ _____

b) $x + y + z = 5$

   $x =$ _____ $y =$ _____ $z =$ _____

   $x =$ _____ $y =$ _____ $z =$ _____

c) $2x + 3y + z = 0$

   $x =$ _____ $y =$ _____ $z =$ _____

   $x =$ _____ $y =$ _____ $z =$ _____

d) $x + y = 3z$ et $z < 0$

   $x =$ _____ $y =$ _____ $z =$ _____

   $x =$ _____ $y =$ _____ $z =$ _____

e) $x - y - z = 0$ et $y > z$

   $x =$ _____ $y =$ _____ $z =$ _____

   $x =$ _____ $y =$ _____ $z =$ _____

f) $x + 2y = 3z + 2x$ et $x < -4$

   $x =$ _____ $y =$ _____ $z =$ _____

   $x =$ _____ $y =$ _____ $z =$ _____

# Concerts, arrangements...

**1** Le gymnase de l'école Factorius doit être aménagé pour un concert de musique rock.

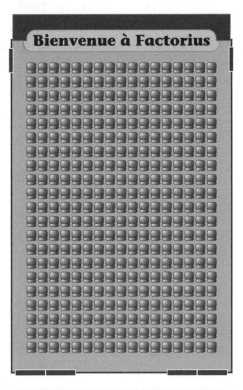

**Bienvenue à Factorius**

**a)** Observe l'illustration à droite.
Combien y a-t-il de sièges ?
Essaie de trouver la réponse sans devoir les compter un à un.

Description de la salle :

- _____ rangées ;

- _____ colonnes ;

- _____ sièges.

**b)** Compare ton procédé avec celui de tes camarades.

**2** À deux, montez le plan d'une salle de spectacles. Il faut placer 23 rangées de 34 sièges. Utilise tes blocs de base dix (un centicube représente un siège).

**a)** Combien y a-t-il de sièges ? _____

**b)** Dessine ci-contre le plan en utilisant un moyen qui t'évite de dessiner tous les sièges.

Les arrangements rectangulaires des numéros 1 et 2 nous font penser à la multiplication.

15

10

**150**

$$15 \times 10 = 150$$

*Le nombre de rangées et le nombre de colonnes sont les **facteurs**.*

*Le nombre de sièges est le **produit**.*

**3** Quels sont les *facteurs* et le *produit* associés à l'arrangement rectangulaire du numéro 1 ?

Facteurs : _____ , _____     Produit : _____

# ... et procédés de multiplication

**4** Voici différents plans de salles de spectacles. Chacun indique, à sa façon, le nombre de rangées et de colonnes de l'arrangement souhaité. Complète la description de chaque arrangement.

*Fais comme si chaque petit carré équivalait à un siège.*

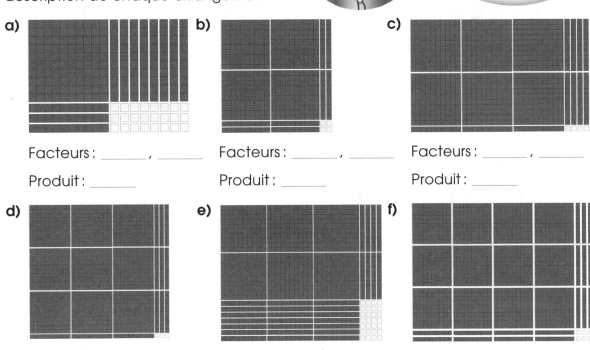

a)

Facteurs : _____ , _____

Produit : _____

b)

Facteurs : _____ , _____

Produit : _____

c)

Facteurs : _____ , _____

Produit : _____

d)

_____ × _____ = _____

e)

_____ × _____ = _____

f)

_____ × _____ = _____

**5** Voici un arrangement rectangulaire et son tableau descriptif.

a) Construis cet arrangement avec ton matériel de base dix.

b) Observe le code de couleur et remplis le tableau descriptif.

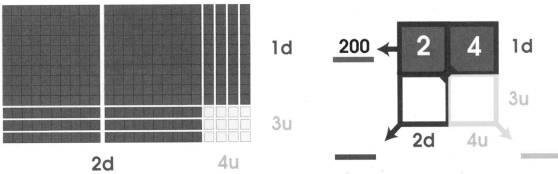

c) Complète la phrase mathématique qui décompose et décrit la multiplication illustrée ci-dessus.

$24 \times 13 = 200 +$

1 Voici des arrangements rectangulaires.
Remplis les tableaux descriptifs qui
les accompagnent. Note aussi la phrase
mathématique qui donne le résultat
de la multiplication.

**a)**

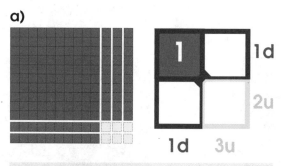

| **1** | | 1d |
|---|---|---|
| | | 2u |
| 1d | 3u | |

$12 \times 13 = 100 +$

**b)**

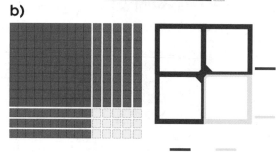

**c)**

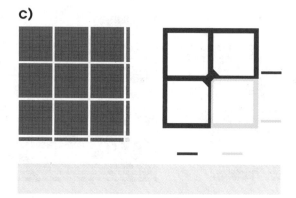

**d)**

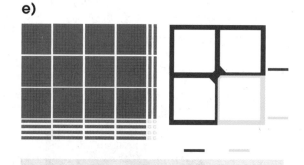

**e)**

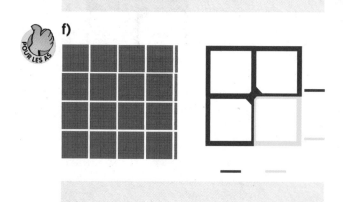

La multiplication est **commutative.**
L'ordre de ses facteurs ne change
rien au sens ni au résultat de
l'opération.

$4 \times 3 = 3 \times 4$
$13 \times 12 = 12 \times 13$
$a \times b = b \times a$

*L'orientation
d'un arrangement
n'a pas
d'importance.*

12

13

13

12

**f)**

POUR LES AS

2 Les trois autres opérations de base
sont-elles commutatives ?

+ _____ − _____ ÷ _____

**1** Construis chaque rectangle décrit ci-dessous.
Utilise ensuite le tableau descriptif pour calculer son aire.

**a)** 13 cm × 14 cm

**b)** 21 cm × 12 cm

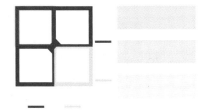
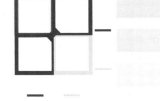

Aire : _____ cm$^2$

Aire : _____ cm$^2$

**c)** 23 cm × 14 cm

**d)** 32 cm × 22 cm

**e)** 20 cm × 25 cm

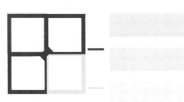
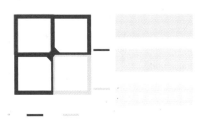

Aire : _____ cm$^2$

Aire : _____ cm$^2$

Aire : _____ cm$^2$

**2** Effectue les calculs d'aire suivants sans recourir à ton matériel.
Puis, vérifie.

**a)** 25 cm × 25 cm

**b)** 34 cm × 16 cm

**c)** 45 cm × 28 cm

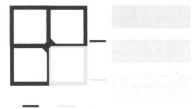
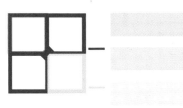
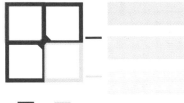

Aire : _____ cm$^2$

Aire : _____ cm$^2$

Aire : _____ cm$^2$

**d)** 37 cm × 37 cm

**e)** 39 cm × 44 cm

**f)** 65 cm × 78 cm

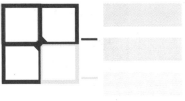

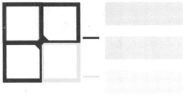

Aire : _____ cm$^2$

Aire : _____ cm$^2$

Aire : _____ cm$^2$

**1** Pour le spectacle en plein air de la chorale de l'école Factorius, des sièges sont placés en rangées et en colonnes.
Le tableau descriptif de droite te renseigne sur cet arrangement rectangulaire.

**a)** Combien de sièges sont disponibles ? _____

**b)** Quelles sont les dimensions de cet arrangement ?
_____ × _____

**2** Voici d'autres tableaux décrivant des arrangements rectangulaires. Utilise tes blocs de base dix.

Trouve d'abord les dimensions manquantes.

Complète ensuite les phrases mathématiques.

**a)**
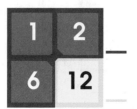

_____ × _____ = _____

**b)**

_____ × _____ = _____

**c)**

_____ × _____ = _____

**d)**
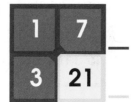

_____ × _____ = _____

**e)**

_____ × _____ = _____

**f)**
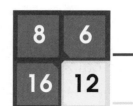

_____ × _____ = _____

**3** Dans les tableaux descriptifs ci-dessous, les dizaines ont été réunies. Utilise ton matériel et complète les phrases mathématiques, comme au numéro 2.

**a)**
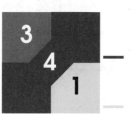

_____ × _____ = _____

**b)**
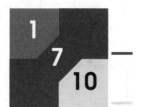

_____ × _____ = _____

**c)**

_____ × _____ = _____

Fiche complémentaire *Jeux de nombres* 13

1. Chaque tableau ci-dessous décrit un rectangle dont l'un des côtés est connu. Utilise ton matériel pour trouver les dimensions qui manquent. Complète chaque phrase de division.

**a)**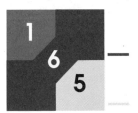

1 dm   1 cm

_____ = _____ cm
11 cm

**b)**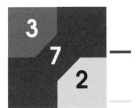

1 dm   2 cm

_____ = _____ cm

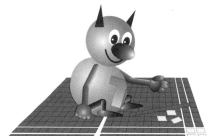

**c)**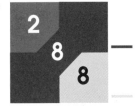

2 dm   4 cm

_____ = _____ cm

**d)**

3 dm   3 cm

_____ = _____ cm

**e)**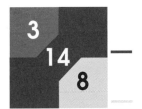

2 dm   2 cm

_____ = _____ cm

**f)**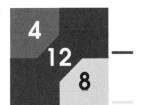

1 dm   4 cm

_____ = _____ cm

**g)**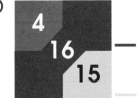

2 dm   4 cm

_____ = _____ cm

**h)**

2 dm   3 cm

_____ = _____ cm

2. Les trois cas suivants sont des arrangements carrés. Complète chaque phrase de division.

**a)**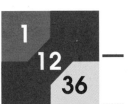

_____ = _____ cm

**b)**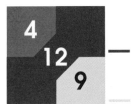

_____ = _____ cm

**c)**

_____ = _____ cm

 3. Une touche de ta calculette permet de trouver la mesure du côté d'un carré dont l'aire est connue. Utilise-la pour vérifier tes réponses au numéro 2.

Ce sont des tableaux descriptifs d'arrangements rectangulaires qui ont donné naissance aux premiers procédés de multiplication. À droite, observe le procédé arabe, l'une des plus anciennes techniques connues.

**1** La multiplication au moyen du tableau descriptif ci-dessous ressemble au vieux procédé arabe.

**a)** Trouve les étapes qui manquent.

**b)** Vois-tu les ressemblances avec la technique arabe ?

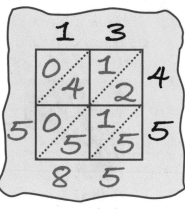

*Procédé arabe de multiplication pour 13 × 45 (xiiie siècle)*

*Du pareil au même...*

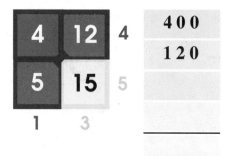

*Tableau descriptif*

**2** L'autre procédé présenté ci-contre était très populaire en Europe, il y a quelques siècles.

**a)** Complète la dernière étape.

**b)** Vois-tu les ressemblances avec la multiplication au moyen du tableau descriptif ?

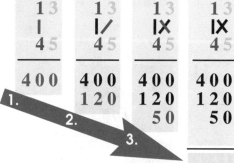

*Procédé européen de multiplication (xve siècle)*

**3** Effectue 15 × 23 au moyen des trois techniques présentées ci-dessus.

**a)**
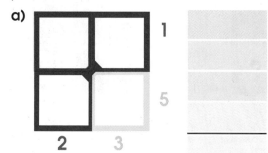

**b)**

**c)**

**1** Effectue les opérations suivantes au moyen d'un tableau descriptif.

**a)** 14 × 17

**b)** 15 × 15

**c)** 16 × 34

**d)** 27 × 32

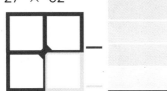

**e)** 38 × 24

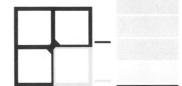

**f)** 57 × 84

**2** Effectue les multiplications suivantes en utilisant le vieux procédé européen présenté à la page précédente. N'oublie pas de tracer les lignes qui marquent les étapes de ton calcul.

**a)**     1 2
           1 7

**b)**     1 6
           1 6

**c)**     1 4
           2 5

**d)**     2 2
           2 6

**e)**     3 1
           2 7

**f)**     2 8
           3 6

**g)**     2 4
           4 5

**h)**     5 9
           7 6

En 1631, l'Anglais William Oughtred a été le premier à utiliser le symbole × comme signe de multiplication. Observe le travail que tu viens de faire et tu verras ce qui l'a inspiré...

Les arrangements rectangulaires permettent de découvrir les propriétés importantes de la multiplication.

Quand tous les arrangements possibles d'un certain nombre sont trouvés, on connaît alors tous ses **facteurs.**

 **a)** À partir de l'exemple ci-contre, fais la liste de tous les facteurs de 12.
Facteurs de 12 : _____

**b)** Utilise ton matériel pour découvrir tous les facteurs de 28.
Facteurs de 28 : _____

Un nombre est **premier** si son seul arrangement rectangulaire est une ligne. Un nombre premier est parfois appelé **nombre linéaire.**

Un nombre est **composé** s'il est possible de lui associer deux arrangements rectangulaires différents, ou plus.

 **a)** Parmi les nombres suivants, encercle ceux qui sont premiers : 7, 9, 19, 31, 57.

**b)** Parmi les nombres suivants, encercle ceux qui sont composés : 15, 21, 23, 42.

En équipe, trouve comment illustrer les propriétés suivantes en recourant aux arrangements rectangulaires.

**a)** Être ou non un **nombre pair.**

**b)** Être ou non un **nombre carré.**

**c)** Être ou non un **multiple** de 3.

 **d)** Être ou non un **facteur commun** à deux nombres.

 Parmi les propriétés mentionnées ci-dessus, quelles sont celles qui s'appliquent aux nombres suivants ?

**a)** 0 est _____.

**b)** 31 est _____.

**c)** 81 est _____.

**d)** 100 est _____.

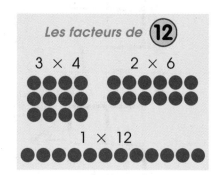

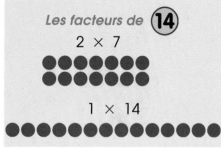

Tout nombre entier est décomposable
en un produit de facteurs.

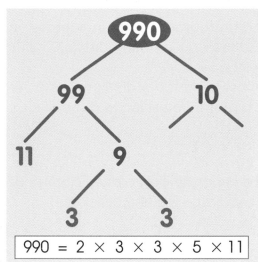

$$990 = 2 \times 3 \times 3 \times 5 \times 11$$

 Observe le diagramme en arbre ci-contre.

**a)** Complète les deux branches inachevées.

**b)** Pourquoi certains nombres sont-ils notés
en rouge ?

_____

**c)** Pourquoi le nombre 1 n'est-il pas utilisé ?

_____

 **d)** À quoi ressemblerait le même diagramme
si on partait du nombre zéro ?

_____

 Voici trois façons différentes d'amorcer l'**arbre
des facteurs premiers** du nombre 120.

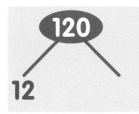 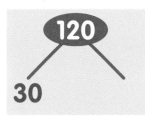 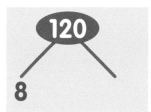

**a)** Sur du papier brouillon, complète chaque cas.

**b)** Note le produit des facteurs premiers du nombre 120.

**c)** Sur du papier brouillon, trace trois arbres différents des
facteurs premiers de 72. Qu'observes-tu en les comparant ?

 Sur du papier brouillon, trace l'arbre
des facteurs premiers des nombres
suivants. Note le produit des facteurs
premiers. Au cas e, utilise ta calculette.

**a)** 81

**b)** 73

**c)** 100

**d)** 144

**e)** 61 380

La multiplication est **associative.**
Dans un produit, tu peux grouper les
facteurs deux à deux sans modifier le
résultat.

$$(2 \times 3) \times 4 = 2 \times (3 \times 4)$$

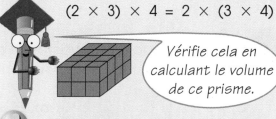

_Vérifie cela en
calculant le volume
de ce prisme._

Les trois autres opérations de base
sont-elles associatives ?

+ _____ − _____ ÷ _____

La décomposition d'un nombre en un produit de facteurs est une puissante astuce de calcul efficace.

Observe les deux divisions présentées par D3D4. La première est facile à simplifier :

Voici le procédé de **simplification.**

$$\frac{150}{20} = \frac{15 \times 10}{2 \times 10} = \frac{15 \times \cancel{10}}{2 \times \cancel{10}} = \frac{15}{2} = 7\frac{1}{2}$$

La seconde illustre aussi l'intérêt de simplifier les nombres d'une division :

$$\frac{1\,295}{70} = \frac{5 \times 7 \times 37}{5 \times 7 \times 2} = \frac{\cancel{5} \times \cancel{7} \times 37}{\cancel{5} \times \cancel{7} \times 2} = \frac{37}{2} = 18\frac{1}{2}$$

**1** Pour chacune des divisions ci-dessous, simplifie l'opération en utilisant la décomposition en facteurs.

a) $\frac{450}{30} =$ 

b) $\frac{252}{21} =$ 

c) $\frac{648}{72} =$ 

d) $\frac{486}{90} =$ 

e) $\frac{546}{78} =$ 

f) $\frac{1\,440}{48} =$ 

g) $\frac{2\,310}{440} =$ 

h) $\frac{2\,790}{225} =$ 

La simplification est souvent utilisée avec les fractions. La décomposition en facteurs permet d'obtenir une **fraction simplifiée** :

Ouf ! Simplifions...

$$\frac{126}{210} = \frac{2 \times 3 \times 3 \times 7}{2 \times 3 \times 5 \times 7} = \frac{\cancel{2} \times \cancel{3} \times 3 \times \cancel{7}}{\cancel{2} \times \cancel{3} \times 5 \times \cancel{7}} = \frac{3}{5}$$

**2** Simplifie les fractions suivantes en décomposant le numérateur et le dénominateur en facteurs premiers.

a) $\frac{9}{15} =$ 

b) $\frac{12}{36} =$ 

c) $\frac{18}{30} =$ 

d) $\frac{28}{16} =$ 

e) $\frac{13}{81} =$ 

f) $\frac{36}{78} =$ 

Fiche complémentaire *Jeux de nombres* 16

Quand vient le temps d'utiliser la simplification,
il n'est pas toujours facile de trouver les facteurs
d'un nombre. Voici quelques astuces pour t'aider.
Utilise le château des dizaines.

Euh... Peut-on simplifier ?

$\dfrac{528}{48}$

 Pars de l'entrée et place un jeton à tous les bonds
de 5 pièces. Imagine ensuite que tu continues ainsi,
sans jamais t'arrêter. Parmi les nombres suivants,
encercle ceux qui se trouvent marqués d'un jeton.

**a)** 55     **b)** 77     **c)** 90     **d)** 125     **e)** 159

**f)** 551     **g)** 700     **h)** 1 005     **i)** 12 768     **j)** 32,5

Énonce une astuce qui permet de savoir rapidement
si un nombre entier est un multiple de 5.

 Refais le même travail qu'au problème 1 en cherchant
cette fois les multiples de 2. Encercle les nombres pairs.

**a)** 79     **b)** 96     **c)** 114     **d)** 130     **e)** 401

**f)** 0     **g)** 2 345     **h)** 3,0     **i)** 10 000     **j)** 14,4

Énonce une astuce qui permet de savoir rapidement
si un nombre entier est un multiple de 2.

 Les nombres entiers qui sont des multiples de 2,
de 5 ou de 10 sont faciles à reconnaître.
Pour les multiples de 4, la tâche est plus difficile...
Observe les deux nombres montrés par Papyrus.

**a)** Sont-ils des multiples de 4 ? _____

**b)** Avec ton équipe, cherche une astuce qui
permet rapidement de savoir si un nombre
entier est un multiple de 4.

**c)** Mets tes hypothèses à l'essai.
Vérifie ensuite avec ta calculette.

Ils finissent par un 4...

34     54

 Le tableau ci-contre permet de noter si
les nombres de la colonne de gauche sont
des multiples de 2, de 4, de 5 et de 10.
Remplis le tableau avec des oui (O)
et des non (X).

| Nombre | M(2) | M(4) | M(5) | M(10) |
|---|---|---|---|---|
| 30 | | X | | O |
| 85 | | | | |
| 52 | | | | |
| 268 | | | | |
| 430 | | | | |
| 1 000 | | | | |

**C 29**

**1** Voici un problème vieux de huit siècles. Il se trouve dans l'un des plus célèbres livres de mathématiques de l'histoire.

> M'en allant à Saint-Yves,
> J'ai suivi un homme et sept femmes,
> Chaque femme avait sept sacs,
> Chaque sac contenait sept chattes,
> Chaque chatte avait sept chatons.
> Combien s'en allaient à Saint-Yves ?
>
> *Leonardo Fibonnaci*
> LIBER ABACI (1202)

Résous-le et note la phrase mathématique qui convient.

**2** De nombreuses situations mathématiques obligent à noter un produit dont tous les facteurs sont identiques. Certaines expressions peuvent être très encombrantes...

Par exemple, observe la grille à neuf cases ci-contre. Tu utilises seulement trois crayons de couleur : un bleu, un jaune et un rouge. Voici le nombre de façons différentes de colorier la grille :

$$3 \times 3 \times 3 \times 3 \times 3 \times 3 \times 3 \times 3 \times 3$$

*Chaque case peut être bleue, jaune ou rouge.*

En mathématiques, on préfère écrire cette expression plus simplement :  $3^9$

**a)** Calcule la valeur de cette expression. _____

**b)** Réécris ta solution du problème 1 en utilisant un exposant. _____

*Ici, 5 est un exposant. Et 32 est la 5e puissance de 2.*

**3** Complète les égalités suivantes.

**a)** $2 \times 2 \times 2 \times 2 \times 2 \times 2 \times 2 \times 2 = 2^8 = $ 

**b)** $4 \times 4 \times 4 \times 4 \times 4 = 4^{\phantom{5}} = $

**c)** _____ $= 8^4 = $

**d)** $10 \times 10 \times 10 \times 10 \times 10 = $ _____ $= $

**e)** _____ $= 23^2 = $

**f)** _____ $= $ _____ $^3 = 2744$

$$32 = 2^5$$

**120** JEUX DE NOMBRES

De la puissance à revendre...

La plupart des calculettes possèdent une **constante automatique** pour la multiplication. C'est un puissant outil pour calculer des... puissances !

 Voici une suite de touches qui te permet de trouver la septième puissance de 5.

$$5 \times = = = = = =$$

Qu'obtiens-tu ? _____

Corrige toi-même tes réponses au problème 3 de la page précédente.

 Prédis le résultat de chaque suite de touches ci-dessous et vérifie avec ta calculette.

| | Prédiction | Résultat |
|---|---|---|
| **a)** $2 \times = = = =$ | | |
| **b)** $1\ 0 \times = = =$ | | |
| **c)** $4 \times = = = =$ | | |
| **d)** $2\ 0 \times = = =$ | | |

 Quand ton écran affiche le caractère E, la calculette gèle. Aucun calcul n'est alors possible. Pour chaque cas ci-dessous, trouve l'exposant qui, le premier, gèlera ta calculette. Fais d'abord une prédiction.

**a)** 3    =            **b)** 15    =            **c)** 5    =

**d)** 9    =            **e)** 24    =            **f)** 17    =

**g)** 42    =            **h)** 10    =            **i)** 68    =

 Utilise ta calculette pour compléter les égalités suivantes.

**a)** $2^{11} =$            **b)** $9^4 =$            **c)** $1^{18} =$

**d)**      $^3 = 1\ 728$     **e)**      $^6 = 46\ 656$     **f)**      $^5 = 32\ 768$

**g)** $7\ \ = 2\ 401$       **h)** $10\ \ = 100\ 000$      **i)** $11\ \ = 14\ 641$

 **j)** $1,3^5 =$            **k)** $10^8 =$            **l)** $2^{27} =$

**m)**      $^8 = 9^4$       **n)**      $^4 = 5,0625$     **o)**      $^9 = 1\ 000\ 000\ 000$

**p)** $0,1\ \ = 0,00001$    **q)** $2\ \ = 4^{13}$        **r)** $10\ \ = 10\ 000\ 000\ 000$

Pour éviter le chaos dans les villes,
des règlements de circulation ont été imposés.
La priorité de circuler dépend de la signalisation
et des types de véhicules.

Des préoccupations semblables ont motivé
la création de règles de priorité des opérations
en mathématiques.

*Sans ces règles, il faudrait utiliser des tonnes de parenthèses !*

 Grâce aux règles mathématiques de
priorité des opérations, une expression
terrifiante comme la suivante

$$1 + (((4 + 2) \times 4) \div (2^3)) \times 5 - 4$$

peut être écrite plus simplement :

**A** $\quad 1 + (4 + 2) \times 4 \div 2^3 \times 5 - 4$

Mais on ne peut pas enlever toutes
les parenthèses...

**B** $\quad 1 + 4 + 2 \times 4 \div 2^3 \times 5 - 4$

**PRIORITÉ DES OPÉRATIONS**

1. *Parenthèses*

2. *Exposants*

3. *x et ÷ de gauche à droite*

4. *+ et − de gauche à droite*

Voici comment calculer l'expression A en respectant
les priorités des opérations :

| | |
|---|---|
| $1 + (4 + 2) \times 4 \div 2^3 \times 5 - 4$ | |
| $1 + 6 \times 4 \div 2^3 \times 5 - 4$ | Effectuer d'abord les parenthèses. |
| $1 + 6 \times 4 \div 8 \times 5 - 4$ | Ensuite les exposants. |
| $1 + 15 - 4$ | Puis × et ÷ de gauche à droite. |
| $12$ | Enfin + et − de gauche à droite. |

Calcule la valeur de l'expression B, proposée ci-dessus. _____

 Complète les égalités suivantes en appliquant
les règles de priorité des opérations.

**a)** $10 - 2 \times 5 =$ 

**b)** $4 \times 100 + 3 \times 10 + 5 =$ 

**c)** $6 \times 3 + 12 - 9 \times 1 \div 3 =$ 

**d)** $2 \times 3 + 3 \times (8 - 6) \div 2 =$ 

**e)** $4 + 6 \div 2 - 2 \times (5 - 3) =$ 

**f)** $(8 - 2) \times 3^2 - 2 + 5 \div 2 =$ 

**g)** $30 - (3^3 + 2) + 5 \times 4^2 =$ 

**h)** $2 + 3 \times 4^2 \div (3 - 1) =$ 

**i)** $(5 - 2)^4 - (5 - 2)^3 - 5^2 =$ 

**j)** $5^2 + 2 \times (6^2 \div 2 - 9)^2 =$

# Pareil, pas pareil...

Les Jaloux forment une famille un peu spéciale. Tout les porte à se comparer. Les voici réunis pour célébrer l'anniversaire des jumeaux. Leur sens de la justice prend souvent le dessus...

**1** Ève et Léo reçoivent en même temps leur morceau de lasagne. Leurs regards se croisent...

Quelqu'un est-il lésé ? _____
Trouve un moyen de vérifier ta réponse.

*Plus court là...*    *Plus long ici...*

**2** Grand-père et grand-mère prennent les deux derniers morceaux de pâté. Ces parts sont-elles égales ? _____ Prouve ta réponse.

*Plus large là...*    *Plus étroit ici...*

**3** Lison, Adam et les jumeaux désirent se partager le gâteau. Coupées de cette façon, les parts semblent différentes.
Colorie les portions qui sont les plus intéressantes. Prouve ta réponse.

*J'en veux !*

**4** *POUR LES AS* Maman Jaloux reçoit la dernière pizza ronde. Papa doit se contenter d'un morceau de pizza carré. Trace le morceau carré équivalent à la part de maman.

*Faudrait arrondir les coins...*    *Carrément juste !*

# ... tensions chez les Jaloux

**5** Au moment d'acheter leur nouvelle maison, les Jaloux ont longuement hésité entre les deux propriétés illustrées à droite.

Ils ont finalement acquis celle qui possède le terrain le plus vaste.

**a)** Consulte l'échelle. Quelles sont les dimensions réelles de ces deux terrains ?

**①** _____ × _____

**②** _____ × _____

**b)** Encercle la maison des Jaloux. Prouve ta réponse en essayant d'imaginer comment les spécialistes de l'arpentage parviennent à établir ce type de comparaison.

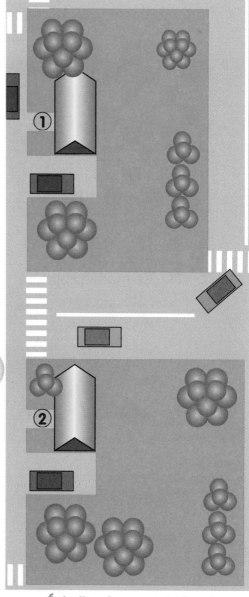

**Échelle : 1 cm vaut 10 m**

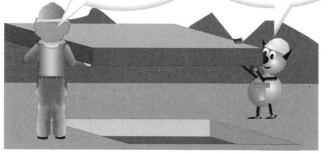

*Comparer deux petites surfaces, c'est facile...*

*Comparer deux terrains, c'est une autre histoire !*

**6** À son décès, tante Graziella Jaloux lègue sa terre à ses deux filles. Elle leur laisse le soin d'effectuer elles-mêmes le partage de ce grand espace rectangulaire, mais en imposant ses volontés :

- L'aînée doit choisir la première une portion triangulaire, aussi grande qu'elle le désire.

- La cadette garde le reste de la propriété.

**a)** En équipe de deux, tentez de découvrir la stratégie qui permet à l'aînée d'obtenir la plus grande part possible.

**b)** Faites la même recherche sur d'autres types de quadrilatères.

**1** Chaque cas ci-dessous présente une situation où un arrangement rectangulaire est voilé. Trouve le nombre demandé et note une phrase mathématique qui résume la situation.

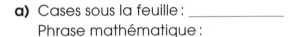

**a)** Cases sous la feuille : _____
Phrase mathématique :

_____

**b)** Timbres utilisés : _____
Phrase mathématique :

_____

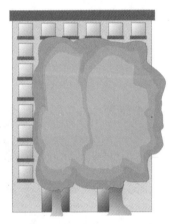

**c)** Carreaux cachés : _____
Phrase mathématique :

_____

**d)** Fenêtres cachées : _____
Phrase mathématique :

_____

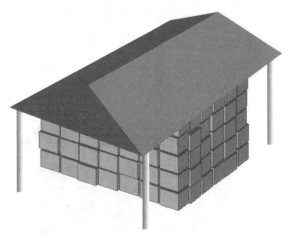

*Dans ma classe il y a 6 rangées de 5 pupitres.*

**e)** Caisses par étage : _____
Phrase mathématique :

_____

**f)** Pupitres de la classe : _____
Phrase mathématique :

_____

**1** Voici l'ensemble des tapis commandés aujourd'hui à la Carpetterie. Ils sont posés sur un quadrillé de référence où chaque carré mesure exactement 1 m². Trouve les informations demandées sur chaque tapis.

**a)**
5 $/m²

**b)**
10 $/m²

**c)**
100 $/m²

**d)**
10 $/m²

**e)**

**f)**
20 $/m²

**h)**
POUR LES AS

**g)**
40 $/m²

10 $/m²

100 $/m²

**a)** Aire : _____
Périmètre : _____
Prix : _____

**b)** Aire : _____
Périmètre : _____
Prix : _____

**c)** Aire : _____
Périmètre : _____
Prix : _____

**d)** Aire : _____
Périmètre : _____
Prix : _____

**e)** Aire : _____
Périmètre : _____
Prix : _____

**f)** Aire : _____
Périmètre : _____
Prix : _____

**g)** Aire : _____
Périmètre : _____
Prix : _____

**h)** Aire : _____
Périmètre : _____
Prix : _____

**2** À quoi peut servir la mesure du périmètre d'un tapis ?

_____

**3**  Dans les commerces où l'on vend des tapis, une formule mathématique simple est utilisée pour trouver rapidement l'aire d'un tapis rectangulaire, quand ses dimensions sont connues. Quelle est cette formule ? Aire = _____

Mesurer l'aire d'un carré ou d'un rectangle est assez facile.
La tâche se complique si la figure est un triangle.
Tes talents pour le bricolage risquent d'être ici très utiles...

> Pour mesurer l'aire d'une figure, il faut la rendre rectangulaire...

**1** Voici le cas le plus simple.

**a)** Trouve plusieurs façons possibles de rendre ce triangle rectangulaire.

**b)** Combien faut-il de carrés-unités pour couvrir parfaitement ce triangle ? _____

**c)** Quelle est l'aire du triangle ? _____

**2** Les cas ci-dessous sont un peu plus difficiles. En équipe, cherchez l'équivalent rectangulaire de chaque triangle et calculez son aire.

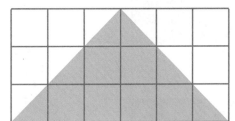 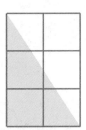 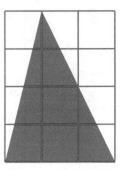

**a)** Aire = _____          **b)** Aire = _____          **c)** Aire = _____

**3** Pour chaque cas ci-dessous, trouve l'aire du triangle ainsi que la fraction du rectangle que représente la partie coloriée. Consulte l'échelle.

> **Échelle**
> ☐ vaut 1 dm²

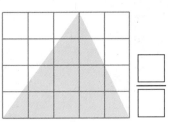 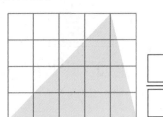 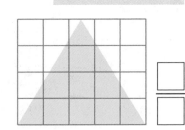

**a)** Aire = _____          **b)** Aire = _____          **c)** Aire = _____

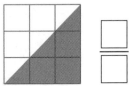 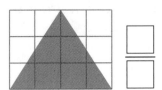 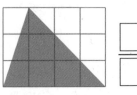

**d)** Aire = _____          **e)** Aire = _____          **f)** Aire = _____

**4** Quelle conclusion tires-tu de tes découvertes à propos du triangle ?

Il existe des clés pour identifier les arbres ou les fleurs des champs. Voici une clé d'identification des triangles. Pour apprendre à t'en servir, introduis n'importe quel triangle dans la machine et réponds correctement aux questions.

**1** Pour chacun des triangles ci-dessous, suis son trajet dans la machine pour découvrir les termes qui le qualifient.

a)　　b)　　c)

d)　　e)　　f)

**2** Dessine un triangle rectangle isocèle dont le grand côté mesure 3 cm.

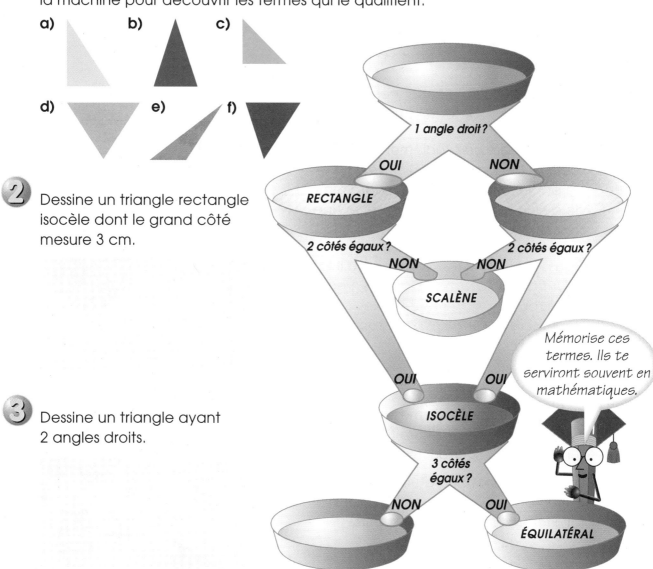

**3** Dessine un triangle ayant 2 angles droits.

*Mémorise ces termes. Ils te serviront souvent en mathématiques.*

**4** Dessine quatre triangles scalènes de formes vraiment différentes.

**1** Troublefête vient d'acheter des pièces de céramique pour recouvrir le plancher de la salle de bain. Les pièces sont de deux formes différentes :

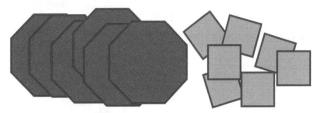

Comment faut-il agencer ces formes pour couvrir exactement un plancher ?

Pour résoudre ce problème, tu peux toujours découper et coller des formes de papier. Mais un logiciel de traitement de dessin te permettra de trouver une solution bien plus rapidement !

Dans les outils, tu trouveras ce qu'il faut pour tracer les formes. Dans les menus, tu découvriras comment copier, coller et déplacer tes pièces. Colore ton oeuvre à ton goût.

*Mais où est donc passé le plan ?*

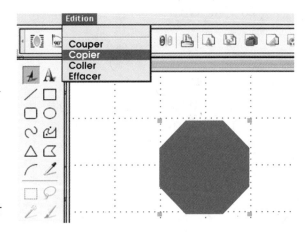

**2** Chaque groupe de formes ci-dessous permet de recouvrir parfaitement une surface plane. Découvre comment.

La grille magnétique d'un logiciel de traitement de dessin ou du papier pointé faciliteront le tracé de tes motifs.

*L'agencement répété des mêmes formes pour couvrir le plan s'appelle **dallage**.*

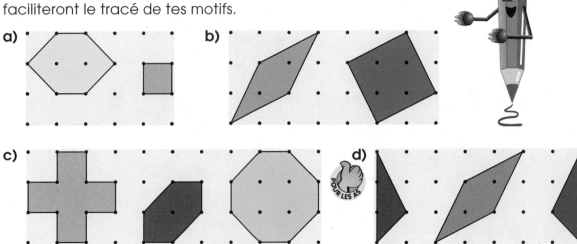

a)

b)

c)

d) POUR LES AS

Les blocs modèles illustrés ci-contre permettent de bien jolis dallages. Ils peuvent aussi servir à montrer le lien qui existe entre la mesure d'aire et le dallage.

*Blocs modèles*

**1** Observe le parallélogramme tracé à droite. On a commencé à le daller en utilisant deux blocs triangulaires.

**a)** Termine le dallage. On dit que l'aire du parallélogramme est de 24 triangles-unités (ou 24 ▲). Vois-tu pourquoi ?

**b)** Refais le travail pour trouver l'aire de la même figure en utilisant chacune des trois autres formes comme unité d'aire.

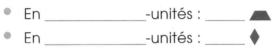

*Parallélogramme*

- En _____-unités : _____ ◣
- En _____-unités : _____ ◆
- En _____-unités : _____ ⬡

**2** Les figures ci-dessous sont formées à partir des blocs modèles. Trouve l'aire de chacune en utilisant les unités demandées. Mesure aussi leur périmètre en centimètres.

**a)**

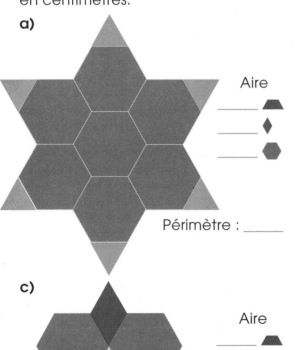

Aire

_____ ◣
_____ ◆
_____ ⬡

Périmètre : _____

**b)**

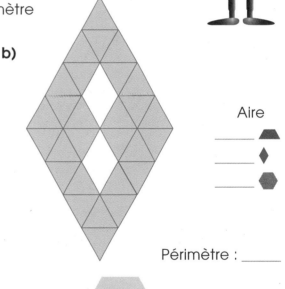

Aire

_____ ◣
_____ ◆
_____ ⬡

Périmètre : _____

**c)**

Aire

_____ ◣
_____ ◆
_____ ⬡

Périmètre : _____

**d)**

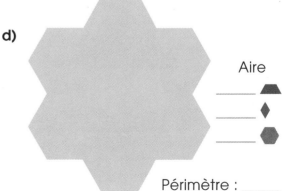

Aire

_____ ◣
_____ ◆
_____ ⬡

Périmètre : _____

Les as de l'arpentage savent facilement calculer l'aire de terrains de formes rectangulaires ou triangulaires. Tu connais aussi les formules mathématiques qui permettent ces calculs.

**1** Les cas ci-dessous sont plus complexes. Imagine les stratégies utilisées en arpentage. Trouve l'aire des terrains si 1 cm$^2$ vaut 100 m$^2$.

**a)**

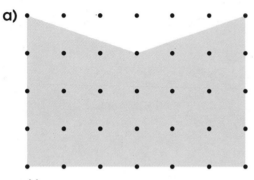

Aire : _____

**b)**

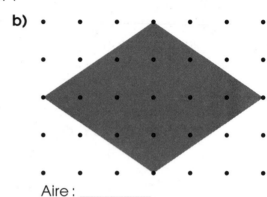

Aire : _____

**c)**

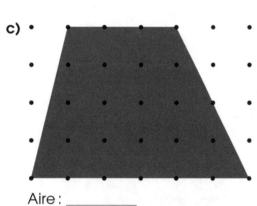

Aire : _____

**d)**

Aire : _____

**e)**

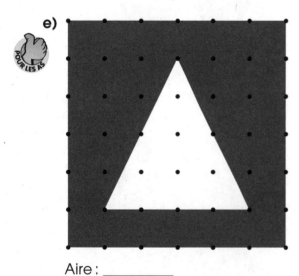

Aire : _____

**2** Sur du papier quadrillé, dessine chacune des figures décrites ci-dessous.

**a)** Un rectangle de 15 cm$^2$ d'aire et de 16 cm de périmètre.

**b)** Un triangle de 5 cm de hauteur et de 10 cm$^2$ d'aire.

**c)** Un rectangle de 6 cm de hauteur et de 18 cm$^2$ d'aire.

**d)** Un triangle rectangle isocèle de 18 cm$^2$ d'aire.

**e)** Un carré de $x$ cm$^2$ d'aire et de $y$ cm de périmètre, avec $x = y$.

L'art du dallage est une source infinie de plaisir visuel.
Avec un logiciel de traitement de dessin, le travail
est à la fois facile et...professionnel !

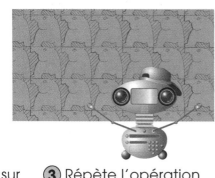

**①** Pour créer un dallage basé exclusivement
sur la translation, suit les instructions ci-dessous.

**①** Pars d'une figure qui
peut daller le plan.
On utilise ici un carré.

**②** Trace une courbe sur
un côté et copie-la.
Déplace ta courbe
comme l'indique la
**flèche de translation.**

**③** Répète l'opération
verticalement,
avec une autre
courbe.

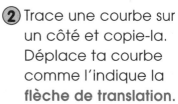

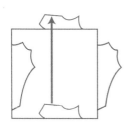

**④** Supprime les lignes
du carré aux
endroits où tu as
tracé des courbes.

**⑤** Laisse aller ton
imagination pour
décorer l'intérieur
du dessin.

**⑥** Il ne te reste qu'à
répéter ton motif à
l'infini...

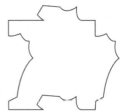

**②** Voici un exemple où la translation ainsi que la réflexion sont utilisées.

**①** Pars d'un rectangle et
effectue d'abord une
translation horizontale.

**②** Trace une courbe
dans le bas du
rectangle et fais-en
une copie.

**③** Fais subir une
réflexion horizontale
à l'élément copié et
complète le dessin.

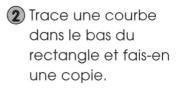

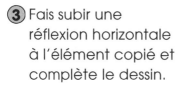

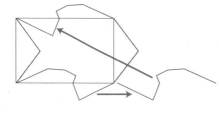

**④** Quand tu auras achevé
ton oeuvre, découvre
comment daller le plan
avec ce motif.  Des
découvertes fascinantes
t'attendent.

Les dallages de cette page sont
appelés **figures d'Escher.** Une
petite recherche dans Internet
te dira pourquoi...

# Tourner en rond...

Le biologiste Frank C. Odds a étudié les vers préhistoriques et leur façon de se nourrir tout en demeurant dans un espace relativement restreint.

Fasciné par la beauté des parcours suivis par les vers de la préhistoire, le biologiste a inventé de magnifiques petites créatures mathématiques, les *spiros* !

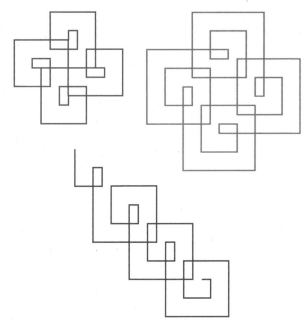

*Quelques ravissants spiros...*

Voici Kasilogo, la cyber-souris. Elle t'aidera à explorer l'univers magique des spiros.
Observe attentivement le parcours suivi par Kasilogo sur la grille pointée ci-contre.

**1** Essaie de décrire la branche rouge du parcours de la cyber-souris. Ta description doit être très précise, car Kasilogo n'est qu'un petit robot très docile...

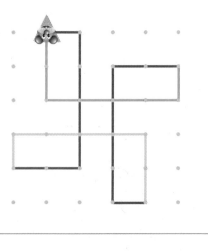

_____

_____

_____

# ... sans perdre la carte !

Décrire ou suivre un parcours comportant des directions précises n'est pas une mince affaire. Mais les pilotes d'avion et les as de la survie en mer ou en forêt ont quelques trucs dans leur sac...

 **2** Tu pilotes un avion et voici ton champ de vision. Que vois-tu :

**a)** à 3 heures ? _____

**b)** à 9 heures ? _____

**c)** à 7 heures ? _____

 **3** À quelle position se trouve :

**a)** le soleil ? _____

**b)** l'avion ? _____

**c)** le cerf-volant ? _____

**d)** la montgolfière ? _____

 **4** Dessine les objets suivants aux positions demandées.

**a)** ⭐ à 2 heures.       **b)** ⚡ à 9 heures 30.

 **5** En mer comme en forêt, il est difficile de suivre un itinéraire en ligne droite. L'instrument illustré ci-dessous devient alors indispensable.

**a)** Comment s'appelle cet instrument ?_____

**b)** Quel principe lui permet d'aider les as de la survie à se déplacer en ligne droite ? _____

 **c)** Renseigne-toi sur son utilisation élémentaire.

Pour mesurer et exprimer une direction dans un plan, tu peux utiliser les positions de l'horloge comme points de référence.

**1** Écris la lettre située à chacune des positions suivantes pour découvrir le mot codé :

| 9:00 | 8:00 | 2:00 | 10:30 | 4:30 |

_____   _____   _____   _____   _____

**2 a)** Note sur l'horloge chacune des lettres ci-dessous à l'endroit indiqué. Si une lettre s'y trouve déjà, remplace-la par la nouvelle.

- (c) à 1:00
- (b) à 6:00
- (a) à 9:00
- (e) à 11:00
- (r) à 3:00
- (o) à 7:00
- (g) à 10:30
- (a) à 4:30

**b)** Pour trouver un autre mot codé, pars de midi et lis les lettres dans le sens horaire. _____

**3** Sur chaque cadran ci-dessous, la petite aiguille va avancer du nombre d'heures indiqué. Colorie la trace de ce déplacement, comme si l'aiguille était enduite de peinture rouge.
Note l'heure qu'il sera après cette période.

*Exemple :*
*avance de 3 h*

Les figures que tu as coloriées en rouge sont des **angles.**

**a)** Avance de 4 h.
Il sera alors
_____.

**b)** Avance de 2 h.
Il sera alors
_____.

**c)** Avance de 6 h.
Il sera alors
_____.

**d)** Avance de 1 h.
Il sera alors
_____.

POUR LES AS

**e)** Avance de 5 h.
Il sera alors
_____.

**f)** Avance de 10 h.
Il sera alors
_____.

**1** Pour mesurer un angle en heures, tu peux utiliser un *rapporte-heure*. Observe ci-contre comment mesurer un angle du triangle équilatéral avec cet instrument.

Quelle est la mesure ? _____ heures.

**2** Utilise ton rapporte-heure pour mesurer un angle intérieur de chacun des polygones réguliers ci-dessous.
Note ta mesure et le nom du polygone.

**a)**

Angle de _____

Nom : _____

**b)**

Angle de _____

Nom : _____

**c)**

Angle de _____

Nom : _____

**d)**

Angle de _____

Nom : _____

> Un **polygone régulier** a tous ses côtés et tous ses angles égaux.

**3** De combien d'heures se déplace Kasilogo en tournant de :

**a)** un quart de tour ? _____

**b)** un demi-tour ? _____

**c)** trois huitièmes de tour ? _____

**d)** deux tours ? _____

**e)** un tour et trois quarts ? _____

La mesure d'angle a été pour la première fois associée à un cercle de 12 secteurs égaux en Mésopotamie, il y a plus de 5 000 ans. Plus tard, par souci de précision, les savants astrologues de la cité de Sumer ont décidé de subdiviser chaque heure en 30 **degrés.**

*Souviens-toi de cette précieuse équivalence.*

1h
30°

 Sur chaque cadran ci-dessous, la petite aiguille s'est déplacée d'un angle représenté par le secteur colorié. Note la durée du déplacement et la mesure de l'angle en degrés.

a) _____ h
_____ °

b) _____ h
_____ °

c) _____ h
_____ °

d) _____ h
_____ °

e) _____ h
_____ °

f) _____ h
_____ °

g) _____ h
_____ °

h) _____ h
_____ °

i) _____ h
_____ °

 Voici quatre triangles de formes différentes.

**a)** Utilise ton rapporte-heure pour mesurer chacun de leurs angles intérieurs, en degrés.

**b)** Note la somme des angles intérieurs de chaque figure, en degrés.

ⓐ Somme : _____

ⓓ Somme : _____

ⓑ Somme : _____

ⓒ Somme : _____

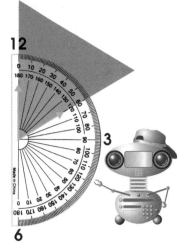

Observe ci-contre comment utiliser
le **rapporteur d'angles.** L'angle à mesurer
est placé au centre d'une horloge imaginaire.
Il faut alors lire les degrés dans le sens horaire.

 Mesure les angles de la maison de Domino qui
sont coloriés en rouge. Fais une estimation avec
ton rapporte-heure avant d'utiliser ton rapporteur.

(a) Estimation : _____
Mesure : _____

(b) Estimation : _____
Mesure : _____

(c) Estimation : _____
Mesure : _____

(d) Estimation : _____
Mesure : _____

(e) Estimation : _____
Mesure : _____

(f) Estimation : _____
Mesure : _____

(g) Estimation : _____
Mesure : _____

(h) Estimation : _____
Mesure : _____

② Voici quatre quadrilatères de formes différentes.

**a)** Utilise ton rapporteur pour mesurer chacun
de leurs angles intérieurs, en degrés.

**b)** Note la somme des angles intérieurs de chaque figure,
en degrés. Compare tes résultats avec ceux du problème 2
de la page précédente. Justifie tes constatations.

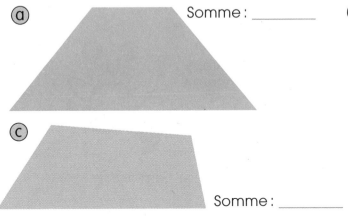

(a) Somme : _____

(b) Somme : _____

(c) Somme : _____

(d) Somme : _____

**1** Écris les commandes qu'il faut donner à Kasilogo
pour tracer chacun des spiros ci-dessous.
Note les rotations en degrés et les déplacements en centimètres.

**a)** SPIRO 1 2 3

Répète 4   [DR 90°   AV _____ cm

              DR _____ AV _____ cm

              DR _____ AV _____ cm]

**b)** SPIRO 1 1 3

_____

_____

_____

**c)** SPIRO 2 4 2

_____

_____

_____

**d)** SPIRO 2 3 1

_____

_____

_____

**2** Encercle les spiros du numéro 1 qui sont symétriques.
Cherche le moyen de les reconnaître, sans même
les dessiner. Mets tes hypothèses à l'épreuve en
traçant les spiros suivants sur du papier pointé.

**a)** SPIRO 3 1 5         **b)** SPIRO 3 4 4

**c)** SPIRO 5 2 5         **d)** SPIRO 1 3 4

**3** Invente un spiro nouveau. Soumets-le à quelques camarades.

**1** Examine chaque tracé ci-dessous et écris le nom du spiro correspondant.

**a)** SPIRO _____ _____ _____

**b)** SPIRO _____ _____ _____

**c)** SPIRO _____ _____ _____

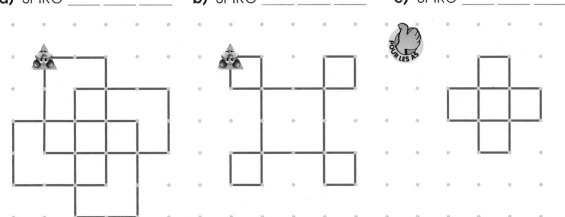

**2** Troublefête s'intéresse beaucoup aux spiros. Ils cachent de si jolis secrets et ils sont tellement logiques ! Avec ton équipe, explore les pistes suggérées ci-dessous et imagines-en d'autres.

Le recours au logiciel LOGO facilitera tes recherches.

*Ces vers font de la poésie géométrique !*

**a)** SPIRO 1 1 2 et SPIRO 2 3 2 sont des SPIROS **carrés**. SPIRO 1 2 3 n'est pas carré. Quelle loi permet de savoir si un spiro est carré, sans même avoir à le tracer ?

_____

_____

**b)** Voici un spiro comme les précédents, sauf qu'il y a une seule entrée à répéter quatre fois. Trace le parcours sur la grille ci-dessous.

_____

*SPIRO 3*

**c)** SPIRO 1 2 3 4 risque de t'inspirer pour une nouvelle exploration. Qu'a-t-il de spécial par rapport aux autres spiros rencontrés jusqu'ici ?

_____

**d)** La multiplication et l'addition sont commutatives. La fonction SPIRO est-elle commutative ? _____

Prouve ta réponse.

**e)** Imagine un type de spiro, à trois entrées, qui tracerait toujours un rectangle.

SPIRO _____ _____ _____

Tous les as du repérage doivent savoir lire une carte. L'un de leurs secrets est de faire comme s'ils se trouvaient sur un immense échiquier...

**1** Tu voyages en France.

**a)** Tu te trouves actuellement dans la ville située dans la case D1.
C'est _____.

**b)** Tu dois te rendre dans la ville située à B3.
C'est _____.

**2** Trouve les villes et les coordonnées manquantes.

**a)** Paris est à _____.

**b)** Montreuil est à _____.

**c)** Saint-Ouen est à _____.

**d)** Bondy est à _____.

**e)** _____ est à C6.   **f)** _____ est à B6.

**g)** _____ est à C1.   **h)** _____ est à D2.

Le repérage par case manque parfois de précision. Les cas d et h du numéro 1 illustrent ce problème. Numéroter plutôt des lignes permet de désigner avec précision tous les points d'une carte.

**3** Une comète traverse le ciel. On l'a déjà observée aux points suivants :

$(0, +4)$, $(+1, +3)$, $(1\frac{1}{2}, 2\frac{1}{2})$, $(+3, +1)$.

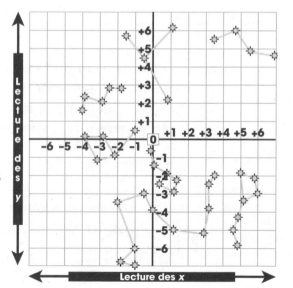

**a)** Sur la carte du ciel ci-contre, identifie 3 autres points qui se trouvent sur sa trajectoire. Trace la trajectoire.

(___ , ___), (___ , ___) et (___ , ___)

**b)** Quelle régularité réunit tous les couples $(x, y)$ de la trajectoire de cette comète ?

_____

**c)** Décris cette régularité à l'aide d'une formule mathématique.

_____

1. Chaque cas ci-dessous te permet de dessiner la trajectoire rectiligne d'une comète.
Note trois nouvelles positions sur son passage.

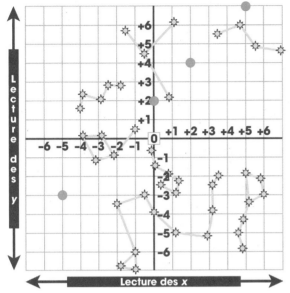

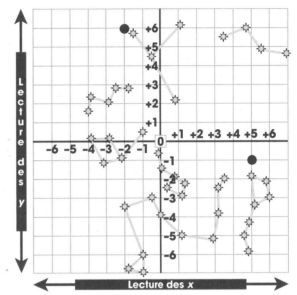

**a)** Les points verts. Trois autres :

(____ , ____) (____ , ____) (____ , ____)

 Formule : _____

**b)** Les points bleus.  Trois autres :

(____ , ____) (____ , ____) (____ , ____)

 Formule : _____

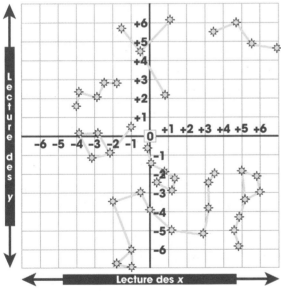

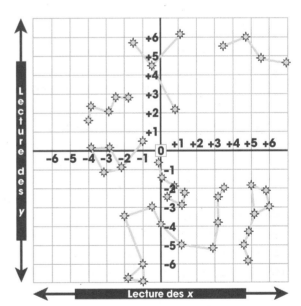

**c)** Les couples $(x, y)$ où $x = y$.

 (____ , ____) (____ , ____) (____ , ____)

**d)** Les couples $(x, y)$ où $x = 2y$.

 (____ , ____) (____ , ____) (____ , ____)

**1** Dans chacun des cas ci-dessous, tous les sommets d'un polygone te sont donnés, sauf un. Découvre où il se trouve et note sa position. Dessine aussi la figure dans le plan cartésien ci-dessous.

**a)** Rectangle :

(+7, 0), (+7, +4), (-6, +4)

et (_____ , _____).

**b)** Losange :

(+4, -4), (+2, -4), (+3, -6)

et (_____ , _____).

**c)** Trapèze isocèle :

(-5, 0), (-3, +1), (-1, -1)

et (_____ , _____).

**d)** Parallélogramme :

(0, 0), (+6, +4), (+3, +4)

et (_____ , _____).

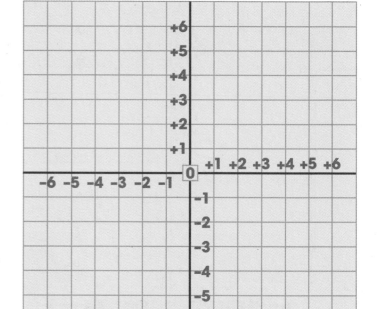

**e)** Carré :

(+2, -3), (+1, -6), (-1, -2)

et (_____ , _____).

**f)** Triangle équilatéral :

(-6, -1), (-6, -5)

et (_____ , _____).

**2** Invente une suite de commandes qui permettent à Kasilogo de dessiner :

**a)** un carré dont l'aire est de 16 cm$^2$ ;

**b)** un triangle rectangle scalène ;

**c)** un triangle équilatéral ;

**d)** un octogone régulier ;

**e)** les spiros du haut de la page Géométrie B-11.

**3** Deviens mini-prof.

**a)** Invente un parcours géométrique élégant.

**b)** Rédige le programme qui permet à Kasilogo de tracer ton dessin.

**c)** Échange ton problème contre celui de quelques camarades.

**1** Voici des instructions qui conduisent Kasilogo à l'île au trésor.
Décris chaque **translation** à l'aide d'une flèche.
Note aussi les coordonnées de chaque point d'arrêt
sur son parcours.

a) Départ à l'**origine**.

Position : (_____ , _____)

b) DR 45° AV 75 mm

Position : (_____ , _____)

c) GA 90° AV 22 mm

Position : (_____ , _____)

d) DR 180° AV 44 mm

Position : (_____ , _____)

e) DR 135° AV 30 mm

Position : (_____ , _____)

f) DR 37° jusqu'à l'île au trésor.

Position : (_____ , _____)

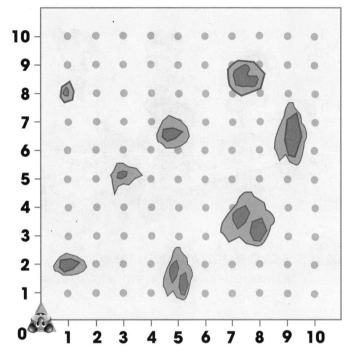

**2** En équipe, cherche le trésor caché par un pirate plutôt
doué en mathématiques ! Réponds comme au numéro 1.
Pars de l'origine.

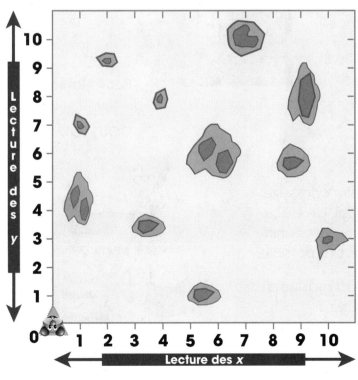

a) DR 60° jusqu'à toucher
la trajectoire $x + y = 11$.

Position : (_____ , _____)

b) GA 50° jusqu'à toucher
la trajectoire $y - x = 1$.

Position : (_____ , _____)

c) GA 100° jusqu'à toucher
la trajectoire $y = 3x$.

Position : (_____ , _____)

d) GA 80° jusqu'à toucher
la trajectoire $3x = 2y$.

Le trésor est sous l'eau,
où tu te trouves.

Position : (_____ , _____)

# Questions de perspectives...

Imagine un bureau d'architectes.

Une maquette sert
à faire comme si...

## Coûts de construction de l'édifice

Module-unité :
100 000 $ par cube.

Recouvrement (toit) :
10 000 $ par carré-unité.

Finition (faces latérales) :
10 000 $ par carré-unité.

**1** L'équipe des maquettistes utilise
des cubes qui sont des modules-unités
à assembler.

**a)** Reproduis chacune des maquettes
ci-dessous avec tes cubes.

**b)** Établis les coûts de construction pour
chaque édifice, grandeur nature.
Utilise les informations de l'encadré
ci-haut.

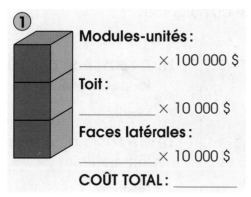

**①**

**Modules-unités :**

_____ × 100 000 $

**Toit :**

_____ × 10 000 $

**Faces latérales :**

_____ × 10 000 $

**COÛT TOTAL :** _____

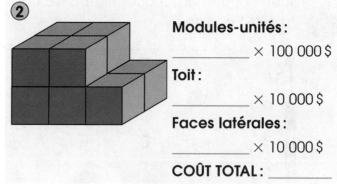

**②**

**Modules-unités :**

_____ × 100 000 $

**Toit :**

_____ × 10 000 $

**Faces latérales :**

_____ × 10 000 $

**COÛT TOTAL :** _____

**2** La compagnie Cubatout désire construire
un édifice pour son siège social. L'espace
nécessaire correspond à 27 modules-unités.
Les coûts doivent être au plus bas possible.

**a)** Avec ton équipe, réalise la maquette
d'un projet qui devrait satisfaire
Cubatout.

**b)** Dessine ton édifice vu en perspective.

# ... pour architectes en herbe

**3** L'un des quatre édifices de la rue ci-dessous a été photographié. Une photo a été prise de face, une autre du côté droit, et la dernière montre le toit vu à bord d'un hélicoptère. À partir des trois clichés, encercle le bon édifice.

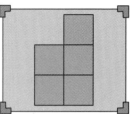

*De face*

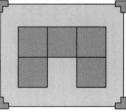

*Du côté droit*

*Du dessus*

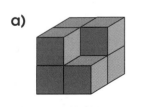 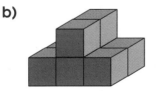    

① ② ③ ④

**4** Construis les édifices ci-dessous avec tes centicubes. Dessine chaque construction vue de face, de droite et du dessus. Utilise un logiciel de dessin ou une grille pointée. Note le volume, l'aire du dessus et l'aire latérale pour chaque cas ainsi que le périmètre de la base.

*Pour le vocabulaire, pense à...*

a)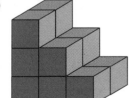

b)

c)

d)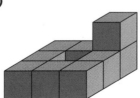

pour le **volume**

pour l'**aire du dessus**

pour l'**aire latérale**

Les cas ci-dessous présentent des données sur des châteaux de centicubes. Construis chaque château en respectant les indices. Trouve les mesures demandées.

**a)** Volume : _____ cm³

*Face*      *Dessus*

Périmètre de la base : _____ cm

Aire du dessus : _____ cm²

 Aire latérale : _____ cm²

**b)** Volume : 7 cm³

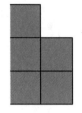  

*Face*    *Dessus*    *Droite*

Périmètre de la base : _____ cm

Aire du dessus : _____ cm²

 Aire latérale : _____ cm²

**c)** Volume : _____ cm³

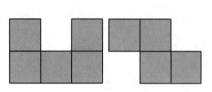

*Face*    *Dessus*    *Droite*

Périmètre de la base : _____ cm

Aire du dessus : _____ cm²

 Aire latérale : _____ cm²

**d)** Volume : _____ cm³

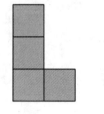  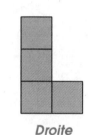

*Face*    *Dessus*    *Droite*

Périmètre de la base : _____ cm

Aire du dessus : _____ cm²

 Aire latérale : _____ cm²

**e)** Volume : 7 ou 8 cm³

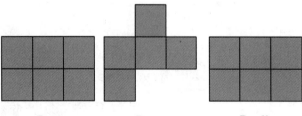

*Face*    *Dessus*    *Droite*

Périmètre de la base : _____ cm

Aire du dessus : _____ cm²

 Aire latérale : _____ cm²

**f)** Volume : _____ cm³

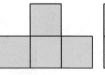  

*Face*    *Dessus*    *Droite*

Périmètre de la base : _____ cm

Aire du dessus : _____ cm²

 Aire latérale : _____ cm²

**1** Voici un mini-cube de glace : 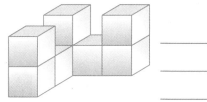 . Il occupe un volume de 1 cm³.
En fondant, il produit à peu près 1 mL d'eau ou 0,001 L. Complète
les mesures pour chacun des châteaux de glace ci-dessous.

a)

_____ cm³

_____ mL

_____ L

b)
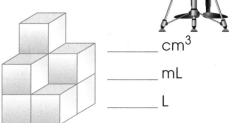
_____ cm³

_____ mL

_____ L

c)
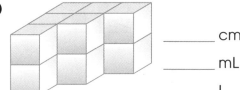
_____ cm³

_____ mL

_____ L

d)
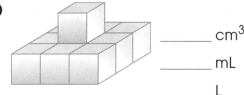
_____ cm³

_____ mL

_____ L

e)
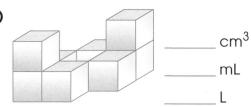
_____ cm³

_____ mL

_____ L

f)
POUR LES AS
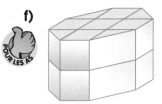
_____ cm³

_____ mL

_____ L

**2** Avant d'ériger les châteaux de centicubes ci-dessous, dessine
ce que tu devrais voir de face, du dessus et du côté droit. Fais
aussi tes prédictions avant d'effectuer les mesures demandées.

a)
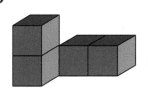
Volume : _____

_____

Périmètre : _____

_____

b)
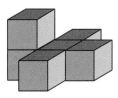
Volume : _____

_____

Périmètre : _____

_____

c)
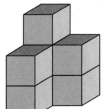
Volume : _____

_____

Périmètre : _____

_____

d)
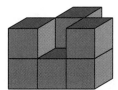
Volume : _____

_____

Périmètre : _____

_____

e)
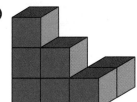
Volume : _____

_____

Périmètre : _____

_____

f)
Volume : _____

_____

Périmètre : _____

_____

C 26

1 Pour chaque château ci-dessous, quatre illustrations sont données. Identifie celles qui représentent la vue de **face,** la vue du **dessus** et la vue du **côté droit.** Vérifie ensuite avec tes centicubes.

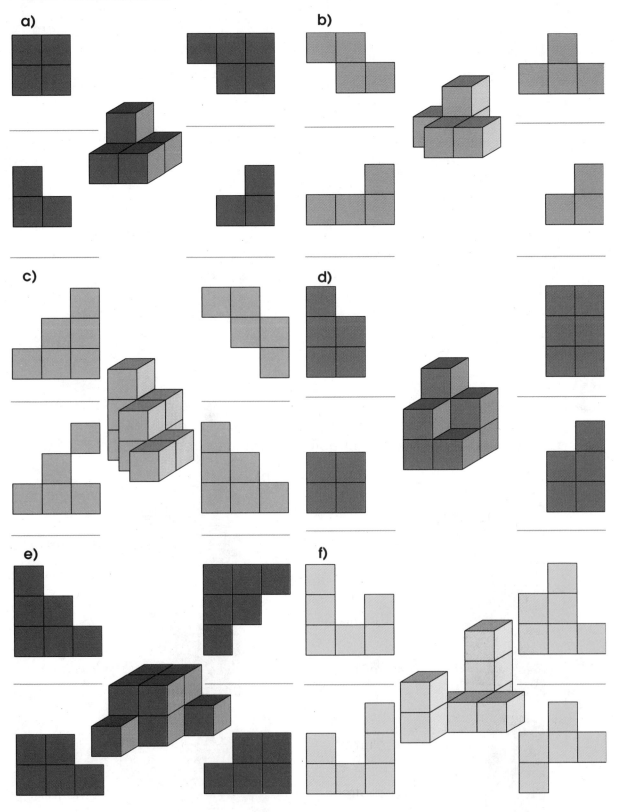

a)

b)

c)

d)

e)

f)

**1** Les cas ci-dessous présentent des données sur des châteaux de centicubes. Construis chaque château en respectant les indices. Trouve les mesures demandées.

**a)** Volume : 6 cm³

*Toutes les faces latérales*

*Dessus*

Périmètre de la base : _____ cm

Aire du dessus : _____ cm²

 Aire latérale : _____ cm²

**b)** Volume : 6 cm³

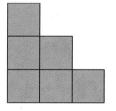

*Face*

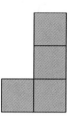

*Droite*

Périmètre de la base : _____ cm

Aire du dessus : _____ cm²

 Aire latérale : _____ cm²

**c)** Volume : 7 cm³

*Face*          *Dessus*          *Droite*

Périmètre de la base : _____ cm

Aire du dessus : _____ cm²

 Aire latérale : _____ cm²

**d)** Volume : _____ cm³

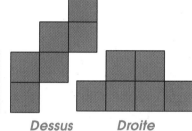

*Face*          *Dessus*          *Droite*

Périmètre de la base : _____ cm

Aire du dessus : _____ cm²

 Aire latérale : _____ cm²

**e)** Volume : 11 cm³

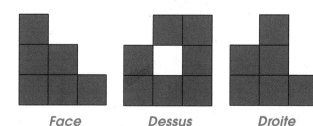

*Face*          *Dessus*          *Droite*

Périmètre de la base : _____ cm

Aire du dessus : _____ cm²

 Aire latérale : _____ cm²

**f)**  Volume minimum : _____ cm³

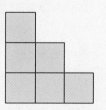

*Face et droite*

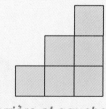

*Arrière et gauche*

Périmètre de la base : _____ cm

Aire du dessus : _____ cm²

Aire latérale : _____ cm²

1. Voici un mini-cube de glace : . Il occupe un volume de 1 cm³. Sa masse est d'environ 1 gramme. En fondant, il produit à peu près 1 mL d'eau. Complète les mesures pour chaque château.

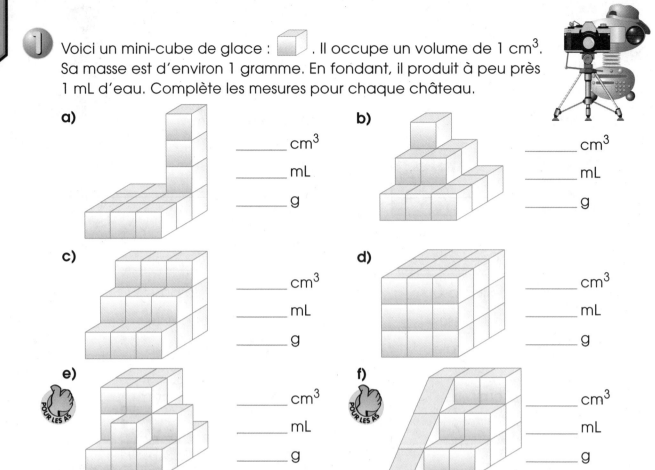

a)
_____ cm³
_____ mL
_____ g

b)
_____ cm³
_____ mL
_____ g

c)
_____ cm³
_____ mL
_____ g

d)
_____ cm³
_____ mL
_____ g

e)
_____ cm³
_____ mL
_____ g

f)
_____ cm³
_____ mL
_____ g

2. Avant d'ériger les châteaux de centicubes ci-dessous, dessine ce que tu devrais voir de face, du dessus et du côté **gauche**. Fais aussi tes prédictions avant d'effectuer les mesures demandées.

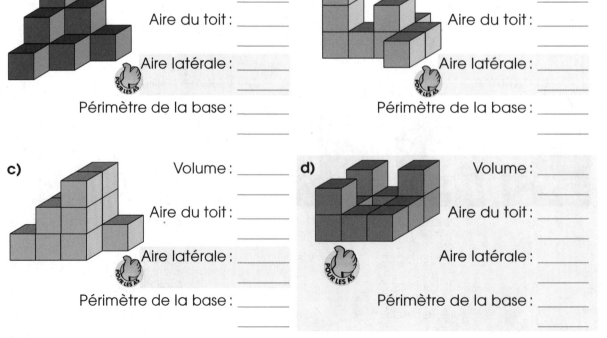

a)
Volume : _____
_____
Aire du toit : _____
_____
Aire latérale : _____
_____
Périmètre de la base : _____

b)
Volume : _____
_____
Aire du toit : _____
_____
Aire latérale : _____
_____
Périmètre de la base : _____
_____

c)
Volume : _____
_____
Aire du toit : _____
_____
Aire latérale : _____
_____
Périmètre de la base : _____

d)
Volume : _____
_____
Aire du toit : _____
_____
Aire latérale : _____
_____
Périmètre de la base : _____
_____

**1)** À partir des indices ci-dessous, réalise au moins deux châteaux de centicubes différents, si cela est possible. Puis, dessine ta construction vue de face, du dessus et du côté droit. La correction se fait entre camarades.

**a)** Volume : 8 cm³

Périmètre de la base : 10 cm

Aire du dessus : 6 cm²

Hauteur : 2 cm

**b)** Volume : 8 cm³

Périmètre de la base : 16 cm

Aire du dessus : 8 cm²

Aire latérale : 16 cm²

**c)** Volume : 8 cm³

Périmètre de la base : 8 cm

Aire du dessus : 4 cm²

Hauteur : 3 cm

**d)** Volume : 6 cm³

Aire du dessus : 2 cm²

Aire latérale : 24 cm²

Hauteur : 4 cm

**e)** Volume : 6 cm³

Périmètre de la base : 10 cm

Aire du dessus : 4 cm²

Hauteur : 3 cm

**f)** Volume : 6 cm³

Périmètre de la base : 8 cm

Aire du dessus : 4 cm²

Toutes les faces ont la même aire.

**2)** Dessiner un château de cubes en perspective est un travail d'artiste ! Voici comment y parvenir en utilisant une méthode de fausse perspective. Utilise la grille magnétique d'un logiciel de dessin ou tout simplement du papier pointé.

**a)** Dessine d'abord la face avant d'un cube en traçant un carré.

**b)** Dessine ensuite le dessus du cube. Le petit angle intérieur du parallélogramme mesure _____°.

**c)** Complète le cube en ajoutant la face du côté droit. C'est un parallélogramme identique à celui formant le dessus. Colorie les trois faces pour donner l'impression de profondeur.

**d)** Il te reste à découvrir une stratégie efficace pour établir l'ordre dans lequel tu dois tracer les cubes. Dessine en perspective le château de cubes ci-dessous. Numérote les cinq cubes dans l'ordre où tu les dessines.

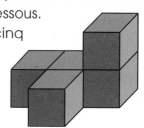

# Des figures et des formes...

Debout, à plat, de profil ou en perspective, les solides et les formes géométriques planes ressemblent à de nombreux objets qui t'entourent. Les casse-tête du présent bloc t'aideront à maîtriser l'espace.

Le tangram est l'un des plus vieux casse-tête au monde. Il existait il y a deux siècles et une tradition suggère même qu'il aurait 4 000 ans... Pour fabriquer le tien, observe attentivement le modèle ci-dessous.

**1** En mesurant les angles intérieurs de chacune des pièces, quelles valeurs distinctes obtiens-tu ?

_____

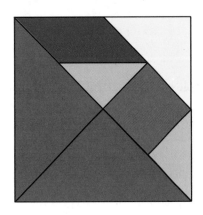

**2** L'agencement de base des pièces du tangram forme un carré géant. Utilise toutes les pièces pour former les figures géantes suivantes. Dessine tes plans avec précision.

**a)** Un triangle.

**b)** Un rectangle non carré.

**c)** Un parallélogramme non rectangle.

**d)** Un trapèze isocèle non parallélogramme.

**e)** Un pentagone convexe.

**f)** Un hexagone convexe.

**3** Chacune des figures ci-dessous est formée de toutes les pièces du tangram. Construis-les et trace les lignes pour indiquer tes solutions.

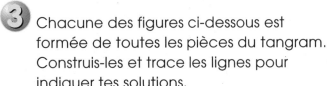

**a)**

**b)**

**c)**

**d)**

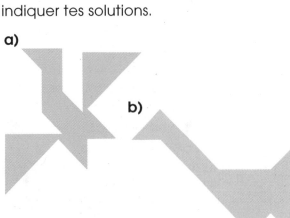

# ... pour faire comme si...

**4** Les sept géoblocs illustrés à droite ont été alignés, l'un derrière l'autre. Le cliché ci-dessous a été pris de face. Replace les blocs dans la position où ils ont été alignés.

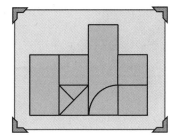

**5** Un ensemble complet de 18 géoblocs a servi à construire le modèle ci-contre. Quelles sont les dimensions réelles du prisme de base où sont logés les deux cylindres ? _____

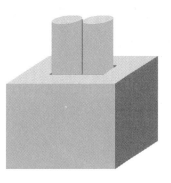

**6** Crois-le ou non, chacun des châteaux ci-dessous est composé d'un ensemble complet de géoblocs ! Érige-les et marque les blocs demandés.

**a)** Prismes rectangulaires (x) et cubes (√).

**b)** Cylindres (x) et cubes (√).

**c)** Demi-cylindre (x) et prismes rectangulaires (√).

**d)** Prismes tronqués (x) et prismes triangulaires (√).

**1** Les deux prismes ci-contre ont été placés l'un derrière l'autre, sur une table. Le profil obtenu présente un rectangle et deux triangles. Dispose les deux blocs pour obtenir ce profil.

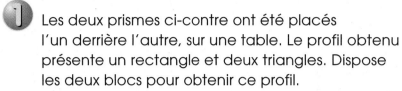

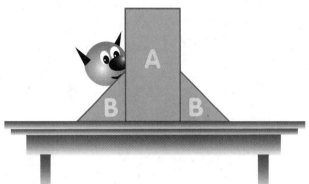

**2** Dispose les blocs indiqués dans chaque cas ci-dessous pour obtenir le profil qui leur est associé. Note tes solutions comme au numéro 1.

a)

b)

c)

d)

e)

f)

g)

h)

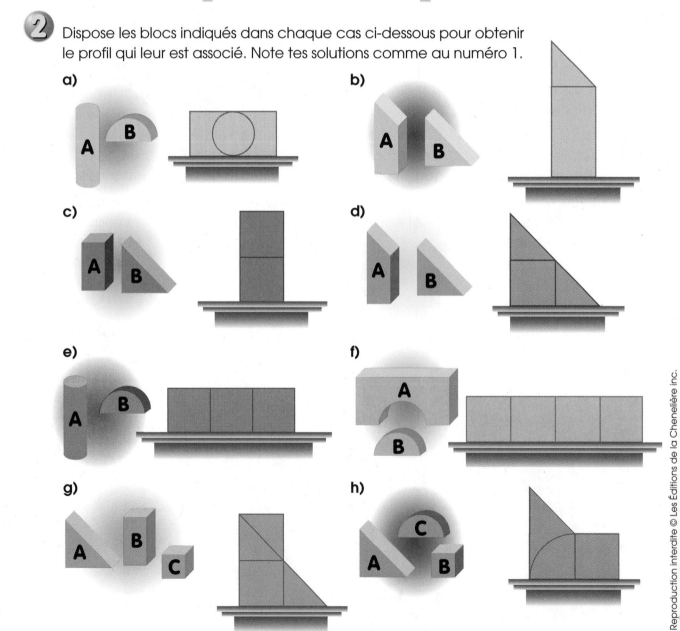

1 Pour chaque profil ci-dessous, identifie comme à la page précédente les blocs qui sont disposés l'un derrière l'autre.

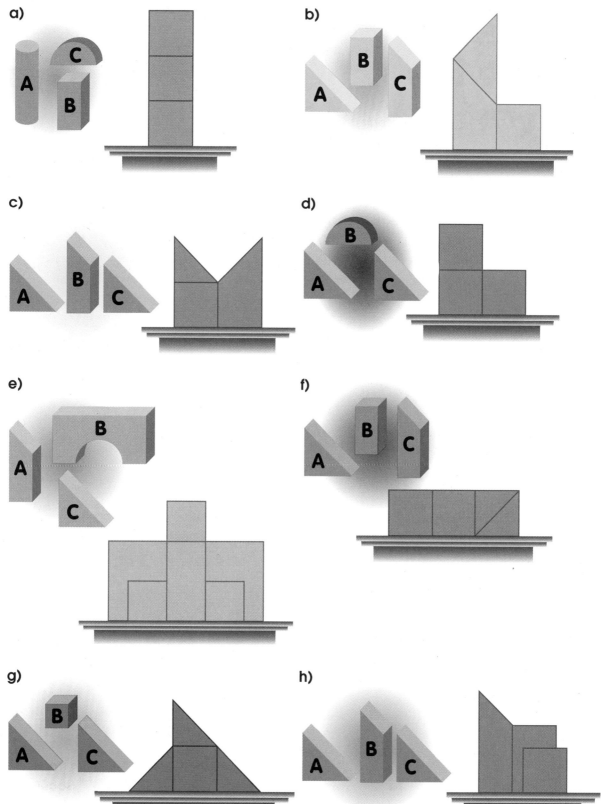

a)

b)

c)

d)

e)

f)

g)

h)

<br>

D
35

Le miroir est un merveilleux outil pour créer une symétrie.

### Modèle

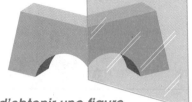

Le miroir permet d'obtenir une figure symétrique à partir du modèle.

**1** Place le miroir sur le bloc servant de modèle de façon à obtenir chacune des images symétriques suggérées ci-dessous.
Trace l'axe de symétrie. Les images ont peut-être subi une **rotation.**
Un exemple montre la façon de noter tes solutions.

**a)**

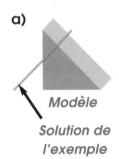

Modèle

Solution de l'exemple

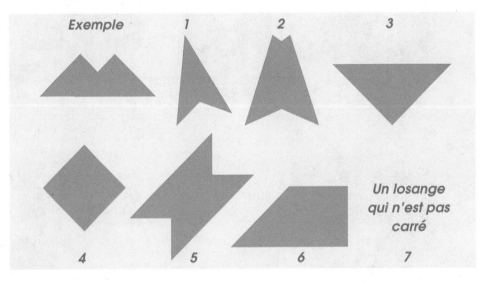

Un losange qui n'est pas carré

**b)**

Modèle

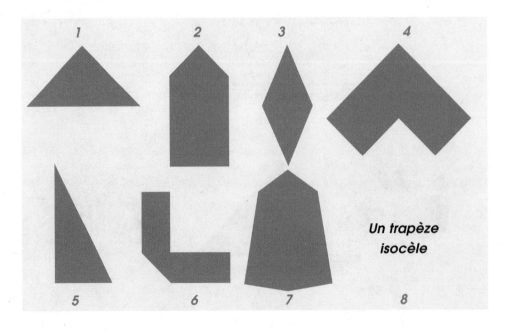

Un trapèze isocèle

Fiche complémentaire *Géométrie* 19

1. Construis les modèles suivants avec des géoblocs.
Place le miroir sur ton modèle de façon à obtenir chacune
des images symétriques suggérées. Trace l'axe de symétrie.
Certaines images ont subi une **rotation.**

a)

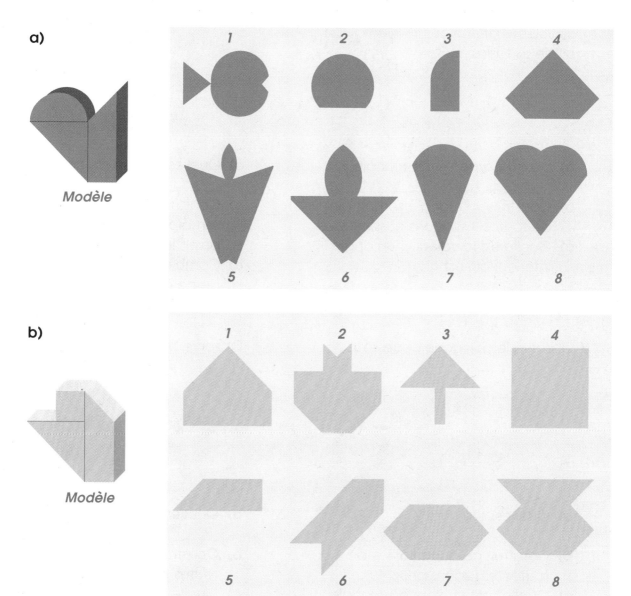

*Modèle*

b)

*Modèle*

2. Deviens mini-prof ! Invente un problème semblable
à ceux de cette page ou de la page précédente.
Ces figures sont plus faciles à produire à l'aide d'un
logiciel de dessins comportant une grille magnétique.

Utilise ton tangram pour résoudre les casse-tête ci-dessous.
Trace les plans de tes solutions.

 Il existe plusieurs façons d'obtenir le triangle ci-dessous et en plusieurs tailles.

**a)** De quel type est ce triangle ?
_____

**b)** Construis un triangle semblable de toutes les façons possibles.

**c)** Quelle est la valeur d'un angle intérieur qui est **aigu** ? _____

 Observe le quadrilatère ci-dessous.

**a)** Quel est le nom de cette figure ?
_____

**b)** Construis un polygone semblable de toutes les façons possibles.

**c)** Combien d'angles intérieurs de ce quadrilatère sont **droits** ?
_____

 Observe le polygone ci-dessous.

**a)** Quel est son nom ?
_____

**b)** Construis ce quadrilatère de toutes les façons possibles.

**c)** Quelle est la valeur d'un angle intérieur qui est **obtus** ? _____

 Observe bien cette autre figure.

**a)** Quel est son nom ?
_____

**b)** Construis ce polygone de toutes les façons possibles.

**c)** Quelle est la somme des angles intérieurs de cette figure ?_____

 **d)** Pourquoi ? _____
_____

 À droite se trouvent deux polygones symétriques.
**a)** Quel est le nom de ces figures ?

_____

**b)** Construis chacun de ces polygones de toutes les façons possibles.

**c)** Quelle est la somme des angles intérieurs de chaque figure ? _____

Reproduis chacune des figures ci-dessous, à l'aide des sept pièces du tangram. Les dessins ont été réduits, mais les formes sont demeurées les mêmes.

**a)**

*La remise*

**b)**

*L'auberge*

**c)**

*Le phare*

**d)**

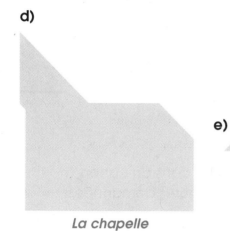

*La chapelle*

**e)**

*L'école*

**f)**

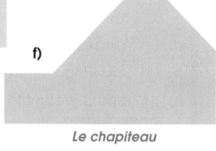

*Le chapiteau*

**g)**

*L'observatoire*

**h)**

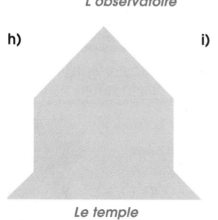

*Le temple*

**i)**

*L'édifice*

**j)**

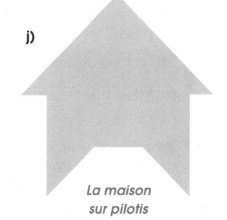

*La maison sur pilotis*

**1** Fabrique un casse-tête en recopiant fidèlement, sur une pièce de carton ondulé, le modèle illustré. Dispose les trois pièces pour obtenir les figures décrites ci-dessous. Trace tes solutions avec précision.

**a)** Un rectangle non carré.

**b)** Un parallélogramme non rectangle.

**c)** Un trapèze non parallélogramme.

**d)** Un pentagone concave.

**e)** Un pentagone convexe et symétrique.

**f)** Un pentagone convexe et non symétrique.

**g)** Un triangle équilatéral.

**h)** Un triangle rectangle.

**i)** Un quadrilatère non trapèze.

 **j)** Un hexagone dont les côtés opposés sont parallèles et égaux.

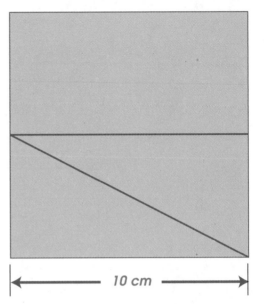

← 10 cm →

**2** Voici un nouveau casse-tête que tu peux découper dans du carton ondulé. Utilise toutes les pièces pour construire les figures demandées.

**a)** Un triangle isocèle.

**b)** Un parallélogramme non rectangle.

**c)** Un trapèze rectangle et non parallélogramme.

**d)** Un trapèze isocèle et non parallélogramme.

**e)** Un hexagone concave et symétrique.

**f)** Un hexagone concave et non symétrique.

**g)** Un hexagone dont les côtés opposés sont parallèles et égaux.

 **h)** Un heptagone.

 **i)** Un octogone symétrique.

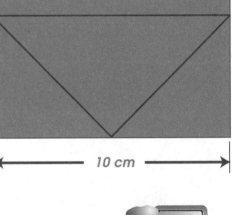

← 10 cm →

**3** Invente ton propre casse-tête. Choisis un polygone régulier comme figure de base. Découpe ensuite des pièces qui te permettent de construire de jolies figures ou des polygones connus. Échange tes problèmes avec quelques camarades.

**1** Pour construire des cages, tu disposes de tiges pour les arêtes, de joints pour les sommets et de grillages pour les faces. Le matériel nécessaire pour obtenir une cage dont la forme est un cube est noté sur la fiche descriptive à droite. Complète-la.

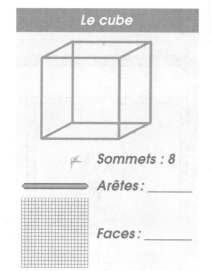

*Le cube*

⤚ *Sommets : 8*

═══ Arêtes : _____

Faces : _____

**2** Pour construire une cage de la forme de chacun des solides ci-dessous, décris le matériel requis à l'aide de fiches semblables à celle utilisée pour le cube.

**a)** 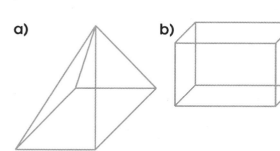 **b)** 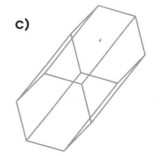 **c)**

**d)** 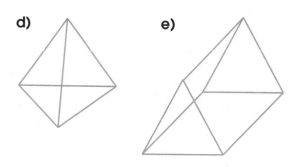 **e)** 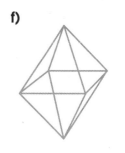 **f)**

**3** Parmi les sept solides illustrés ci-haut, trouve ceux dont il est question ci-dessous.

**a)** Il y en a trois qui sont des **polyèdres réguliers.** _____

**b)** Il y en a quatre qui sont des **prismes.** _____

**c)** Deux des solides illustrés sont des **pyramides.** _____

**d)** Deux des solides illustrés sont des **hexaèdres.** _____

**e)** Deux des solides illustrés sont des **octaèdres.** _____

*Fais une petite recherche pour t'aider à identifier ces solides.*

**1** Voici la carte d'identité du **cône.** Ajoute les renseignements qui manquent.

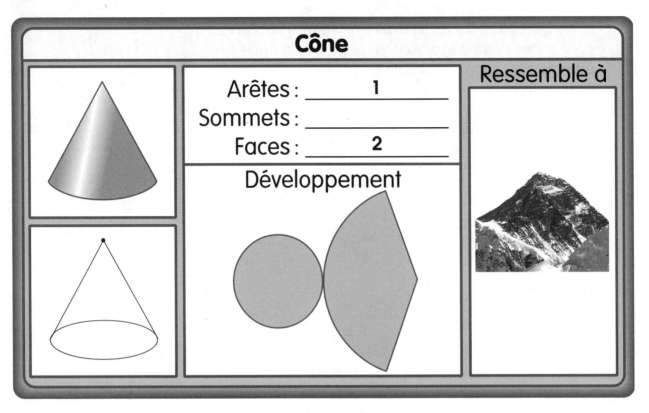

## Cône

Arêtes : _____ 1 _____

Sommets : _____

Faces : _____ 2 _____

Développement

Ressemble à

**2** Remplis la carte d'identité du **prisme triangulaire.**

## Prisme triangulaire

Arêtes : _____

Sommets : _____

Faces : _____

Développement

Ressemble à

# Découvertes, explorations et...

Résoudre un problème, c'est comme découvrir et explorer une terre inconnue.

On confie à Caboche la mission de reconnaître les lieux, d'en faire le tour...

Durant cette phase, la créativité l'emporte sur les contraintes et les décisions prématurées. Caboche prend note des pistes de recherche.

Sur la terre ferme, Caboche confie différentes missions stratégiques aux membres de son équipage.

Troublefête explore les pistes de façon systématique. D3D4 se charge pour sa part des tâches routinières.

Papyrus remplit quotidiennement le journal de bord et dresse la carte précise des lieux.

Enfin, Caboche s'assure que le compte rendu du voyage est fidèle aux événements qui ont eu lieu.

# ... résolution de problèmes

Voici des occasions d'appliquer la démarche de résolution
de problèmes proposée à la page précédente.

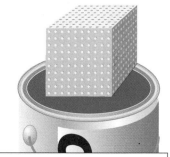

 Un décimètre cube formé de centicubes est immergé
dans un seau de peinture. Combien de centicubes
porteront des traces de peinture ?

**Démarche**

Réponse : _____

**2** Une ferme est subdivisée en 10 quadrilatères.
Une vue aérienne de l'endroit est présentée
ci-contre et ses dimensions totales sont
indiquées. La maison est située sur le seul terrain
qui n'est pas carré : c'est un rectangle qui
mesure 312 m sur 240 m.

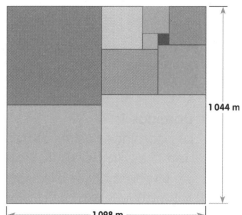

a) Trace une croix là où se trouve la maison.

b) Trouve la racine de chaque carré.

**3** Un match de soccer vient de prendre fin.
Sophia, qui portait le numéro 1, a marqué 2 buts.
Marion, qui portait le numéro 2, a marqué 4 buts.
Cloé portait le numéro 3.

Combien de buts a-t-elle marqués ?

_____

**4** Madame Kuhy propose un exercice simple.
Tu dois encercler l'élément qui ne va pas dans
chacun des groupes ci-dessous.

a)   b)

c) 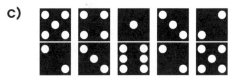  d)

**1** **Question de goût**

Voici des quantités de jus d'orange concentré et d'eau prêtes à être mélangées. Pour chaque cas, deux mélanges possibles sont proposés. Encercle celui des deux mélanges qui goûtera le plus l'orange. Justifie ton choix.

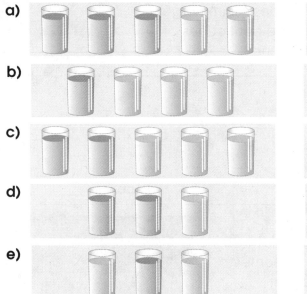
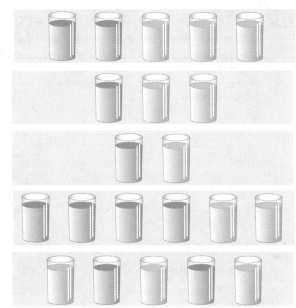

**2** **Dominos 1**

Les dominos illustrés ci-dessous représentent les nombres de 1 à 10. Tu dois les disposer verticalement de façon à obtenir les sommes inscrites dans le tableau-solution. Un domino est déjà placé. Trouve l'arrangement qui respecte toutes les données.

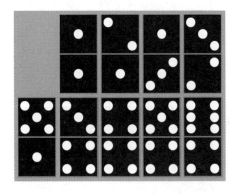
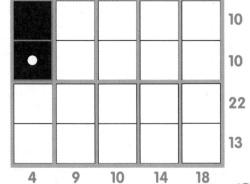

**3** **Contacts**

Tu dois disposer six bâtonnets à café de façon que chacun touche à chacun des cinq autres. Tu n'y parviendras pas en les plaçant comme les rayons d'une roue, car la forme arrondie des extrémités empêche qu'elles se touchent toutes...

Sois tenace ! Dessine ta solution.

# 1 Carrés, ou presque... 1

Voici les plans réduits de quatre figures recouvertes de carrés et d'un seul rectangle non carré.

Note la racine de chaque carré, en mètres.

La largeur d'un carré est aussi appelée sa racine.

**a)** Le rectangle mesure 84 m sur 91.

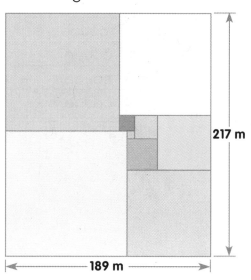

217 m

189 m

**b)** Le rectangle mesure 75 m sur 63.

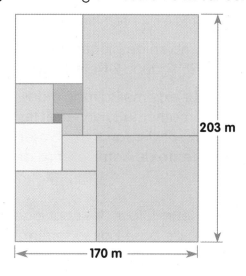

203 m

170 m

**c)** Le rectangle mesure 83 m sur 93.

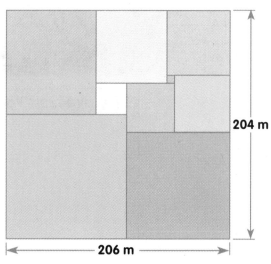

204 m

206 m

**d)** Le rectangle mesure 104 m sur 128.

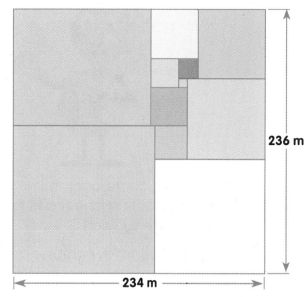

236 m

234 m

# Troublefête en quête de...

La magie des nombres se manifeste dans des régularités.

Quand une situation–problème réclame une analyse logique ou un raisonnement rigoureux, Caboche appelle Troublefête à la rescousse.

 Une planche mesurant trois mètres de long doit être coupée 25 fois à l'aide d'une scie.

**a)** Remplis le tableau décrivant la situation après les 4 premières coupes.

**b)** Combien de pièces de bois y aura-t-il après la 25$^e$ coupe ? Note-le dans le tableau.

**c)** Pour exprimer la magie des nombres, les mathématiciennes et les mathématiciens utilisent des formules. Observe le tableau et tente de compléter sa dernière ligne.

| Après la... | Pièces |
|---|---|
| 1$^{re}$ coupe | 2 |
| 2$^e$ coupe | 3 |
| 3$^e$ coupe | |
| 4$^e$ coupe | |
| 25$^e$ coupe | |
|  $n^e$ coupe (formule) | |

 Après leur victoire, les neuf joueurs d'une équipe de base-ball se serrent la main pour se féliciter mutuellement.
Combien de poignées de mains sont échangées ?

Difficile ? Essayons de faire jouer la magie des nombres...

Commence par faire quelques cas plus simples, avec peu de joueurs.

**a)** Avec tes camarades, mime la situation en ajoutant un joueur à la fois. Remplis le tableau.

**b)** Reconnais-tu les nombres qui apparaissent ?

**c)** Et s'il y avait 100 joueurs ? _____

**d)** La formule mathématique pour résoudre ce type de problème est connue depuis longtemps. Vérifie-la pour les cas simples.

| S'il y avait... | Poignées de main |
|---|---|
| 1 joueur | 0 |
| 2 joueurs | 1 |
| 3 joueurs | |
| 4 joueurs | |
| 5 joueurs | |
| 9 joueurs | |
|  $n$ joueurs (formule) | $\dfrac{n \times (n-1)}{2}$ |

# ... la magie des nombres

Les nombres qui décrivent un phénomène se comportent souvent de façon si régulière que cela peut sembler magique.

**3** Pour imiter les pyramides mayas, des cubes sont empilés comme dans l'illustration ci-contre.

**a)** Combien de cubes compte cette pyramide à 4 paliers ? _____

**b)** Combien faut-il de cubes pour ériger une pyramide à 10 paliers ? _____

La magie des nombres peut t'aider à résoudre ce problème.

**4** Des carrés sont tracés, ci-dessous, sur une grille pointée. Deux figures sont droites et l'autre est penchée.

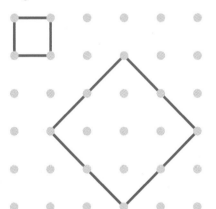
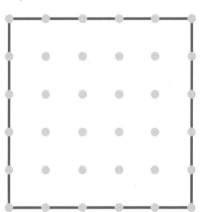

Le tableau ci-dessous ne concerne que les carrés droits. Remplis-le en faisant appel à la magie des nombres.

| Côté | Périmètre | Aire | Points sur la frontière | Points à l'intérieur |
|---|---|---|---|---|
| 1 cm | | 1 cm² | | |
| 2 cm | | | | |
| 3 cm | | | | |
| 4 cm | | | | |
| 5 cm | | | | 16 |
| 20 cm | | | | |
| n cm (formule) | | | | |

*Un **nombre carré** de points peut former un arrangement carré...*

POUR LES AS

Reproduction interdite © Les Éditions de la Chenelière inc.

Fiche complémentaire *Méli-mélo 2*

## 1 Coupures

Chaque figure doit être
découpée en deux morceaux
pour obtenir la nouvelle
figure demandée.
Montre comment.
Prouve ta solution.

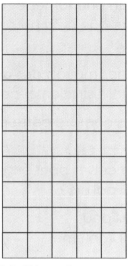

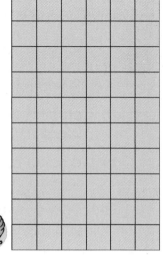

**a)** Carré

**b)** Triangle
isocèle

**c)** Rectangle mesurant
4 cases sur 15

## 2 Dominos 2

Les dominos illustrés ci-dessous représentent les nombres
de 1 à 10. Tu dois les disposer verticalement de façon
à obtenir les sommes inscrites dans le tableau-solution.
Un domino est déjà placé.

Trouve l'arrangement qui respecte toutes les données.

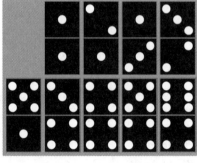

| | | | | | |
|---|---|---|---|---|---|
| | | | | | 22 |
| | | | | | 13 |
| | | | | | 12 |
| | | | | | 8 |
| 6 | 9 | 11 | 12 | 17 | |

## 3 Ça mord ?

Avec une canne à pêche mesurant 150 cm,
Estelle a capturé un poisson de 30 kg. Qu'a-t-elle
attrapé avec une canne à pêche mesurant 3 m ?

Solution

## 1 Histoire de pêche

Au retour d'un voyage de pêche,
monsieur Laligne raconte l'un de ses exploits.

— Le poisson que j'ai attrapé était gigantesque !
Il m'a fallu près d'une heure pour le capturer.
Il pesait plus de 10 kilos et sa gueule ouverte
devait bien mesurer 30 centimètres.
Ce monstre marin mesurait 60 centimètres
plus la moitié de sa longueur. Quelle prise !

Mais quelle est donc la longueur exacte
de ce poisson ?

**Démarche**

Réponse : _____

## 2 Lumière au bout du tunnel

Un train mesurant exactement 500 mètres
de long parcourt 1 kilomètre en 2 minutes.
Le train entre dans un tunnel long de 2 kilomètres.
Combien lui faut-il de temps pour ressortir
complètement à l'autre extrémité ?

**Démarche**

Réponse : _____

# D3D4 prend charge...

Il arrive que Caboche associe l'énoncé d'un problème à une phrase mathématique. D3D4 peut alors facilement exécuter le travail qu'il reste à faire pour résoudre le problème.

À mon tour!

Suffit de faire comme si...

 Audrey désire acheter un vélo qui coûte 720 $. Elle a déjà mis le quart de cette somme de côté. Combien d'argent lui manque-t-il pour faire son achat?

**a)** Parmi les phrases mathématiques suivantes, encercle celle que Caboche a associée à l'ensemble des données du problème ci-dessus.

$720 - 4 = m$  |  $4m = 720$

$720 \div 4 = m$  |  $(720 \div 4) + m = 720$

$m + \dfrac{720}{4} = 720$  |  $720 - \dfrac{1}{4} = m$

**b)** Effectue les calculs qu'il reste à faire pour résoudre le problème.

_____

Une lettre qui représente un nombre s'appelle *variable*.

 Monsieur Cantine vient d'ouvrir un restaurant. Au cours des cinq premiers jours, il a servi un total de 240 repas. Chaque jour, il a servi 10 repas de plus que la veille.
Combien de repas a-t-il servis le $5^e$ jour?
Pour résoudre ce problème, fais comme si le nombre de repas du $1^{er}$ jour était la variable *r*.

**a)** Remplis le tableau qui te permet de traduire l'énoncé du problème en une phrase mathématique. Écris la phrase et résous le problème.

_____

**b)** À ce rythme, combien de repas seront servis au $10^e$ jour? _____

**c)** Et au $100^e$ jour? _____

**d)** Imagine une formule pour le $n^e$ jour.

| Jour | Nombre de repas |
|------|-----------------|
| $1^{er}$ | *r* |
| $2^e$ | |
| $3^e$ | |
| $4^e$ | |
| $5^e$ | |
| $10^e$ | |

| | |
|------|---|
| $100^e$ | |
| $n^e$ | |

# ... des travaux routiniers

Voici d'autres types de problèmes que tu peux associer à une équation. Quand cela est réussi, le reste du travail devient assez simple...

*Une équation est une égalité où figure au moins une variable.*

**3** Pour chaque situation ci-dessous, associe l'énoncé à une équation. Trouve ensuite les montants inconnus.

**a)** Le pantalon coûte deux fois plus cher que la chemise.

**b)** Tu peux acheter 10 rondelles au prix de ce bâton.

**c)** Avant d'acheter ce ballon, tu avais 52 $ en poche. Il te reste 25 $.

**d)** La bicyclette bleue coûte 645 $. C'est 270 $ de moins que la rouge.

**4** Associe chacun des énoncés suivants à une équation, puis résous le problème.

**a)** Christophe Colomb a découvert l'Amérique en 1492, 14 ans avant sa mort. En quelle année est-il décédé ? _____

**b)** L'astronome italien Galilée a réalisé la première lunette astronomique en 1609. Il avait alors 45 ans. En quelle année est-il né ? _____

**c)** Depuis minuit, le mercure a grimpé de 12 degrés. Il fait maintenant 3 °C. Quelle était la température à minuit ? _____

**d)** Hier, Tom a lu la moitié de son livre. Ce matin, il a lu 36 autres pages. Il est rendu à la page 188. Combien ce livre a-t-il de pages ?

_____

POUR LES AS

## 1 Jongleries

Remplace chacune des variables du diagramme
ci-dessous en respectant les consignes suivantes.

- Chaque lettre représente un nombre différent.

- Les valeurs possibles sont les nombres de 1 à 9.

- Les nombres placés dans les intersections sont les sommes
des nombres situés dans les deux zones qui s'y recoupent.

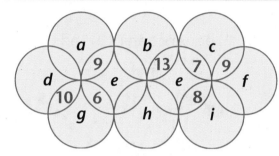

$a =$ _____     $b =$ _____     $c =$ _____

$d =$ _____     $e =$ _____     $f =$ _____

$g =$ _____     $h =$ _____     $i =$ _____

## 2 Boulons en boîte

Une boîte métallique contenant 30 boulons
identiques est posée sur le plateau d'une
balance. La masse totale est de 1 530 grammes.
On retire alors 12 boulons et la masse totale n'est
plus que de 948 grammes.
Quelle est la masse de la boîte métallique vide ?

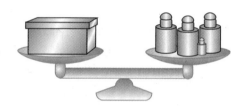

**Démarche**

Réponse : _____

## 3 Diagonales magiques

Une *diagonale* est un segment de droite
qui relie deux sommets non consécutifs
d'un polygone. Les cas des polygones
réguliers à trois, à quatre et à six côtés
sont illustrés ci-contre. Combien de
diagonales distinctes y a-t-il dans
un *dodécagone* régulier ? _____

0 diagonale

2 diagonales

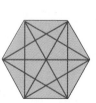

9 diagonales

**1** **Carrés, ou presque... 2**

Voici les plans réduits de quatre figures recouvertes de carrés et d'un rectangle non carré.

Note la racine de chaque carré, en mètres.

**a)** Le rectangle mesure 72 m sur 64.

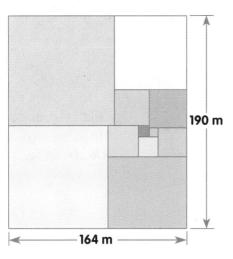

190 m

164 m

**b)** Le rectangle mesure 76 m sur 48.

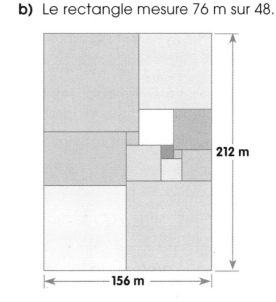

212 m

156 m

**c)** Un côté du rectangle mesure 93 m. La racine du carré noir est de 22 m.

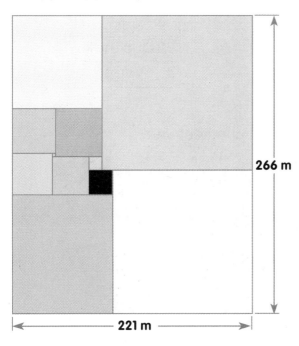

266 m

221 m

**d)** Un côté du rectangle mesure 94 m. La racine du carré noir est de 21 m.

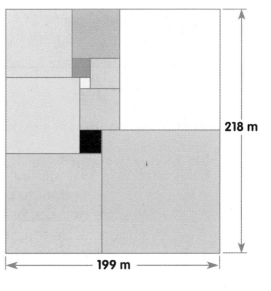

218 m

199 m

# Papyrus nous fait...

Papyrus s'intéresse au vocabulaire précis de même qu'à la communication claire des idées. C'est aussi l'as de la rédaction et de la grammaire mathématiques ! Mais sa spécialité est le recours aux tableaux et aux diagrammes.

*Pour une communication claire et précise.*

 Un sondage réalisé auprès d'une classe du troisième cycle est présenté ci-dessous.

**a)** Examine le tout pour en prendre connaissance.

Ajoute les éléments qui ont été oubliés dans le tableau et dans le diagramme à bandes.

**b)** Quel est le personnage préféré ? _____

**c)** Le capitaine Haddock est plus aimé que _____ , mais moins que _____ .

**d)** Invente un autre commentaire possible.

_____

**Question du sondage :**
*Quel personnage de la bande dessinée Tintin préfères-tu ?*

## Personnage préféré de la bande dessinée *Tintin*

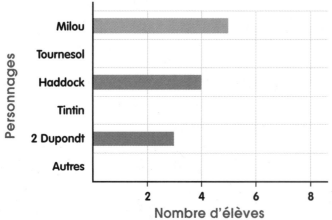

| Nom du personnage | Nombre d'élèves | % |
|---|---|---|
| Milou | 5 | |
| Tournesol | 3 | 12 |
| Haddock | | 16 |
| Tintin | 8 | |
| 2 Dupondt | | |
| Autres | 2 | |

 En équipe, réalise un sondage auprès d'une trentaine de camarades.

**a)** Formule d'abord la question que tu souhaites poser. Voici des exemples dont tu peux t'inspirer.
- Quelle saison de l'année est la plus appréciée ?
- Quel est le mois de ton anniversaire ?
- Quel sport préfères-tu pratiquer ?
- Quelle est ta couleur préférée ?

**b)** Prépare un tableau où tu pourras inscrire les réponses et un diagramme à bandes pour communiquer les résultats de façon visuelle.

# ... un dessin mathématique

La représentation d'ensembles est fréquemment utilisée en mathématiques. Elle permet de présenter des données de façon simple et visuelle.

> *Le **diagramme de Venn** sert à organiser des données.*

**3** Au retour d'une longue fin de semaine, un questionnaire est distribué pour connaître les activités pratiquées par les élèves durant leur congé. Le diagramme ci-dessous décrit les résultats de ce sondage.

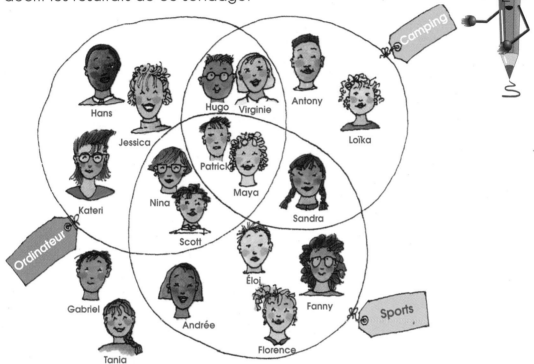

**a)** Combien d'élèves ont répondu au sondage ? _____

**b)** Quelle activité a été la plus populaire ? _____

**c)** Combien d'élèves ont fait plus d'une activité ? _____

**d)** Vrai ou faux ? Tania et Gabriel n'ont fait aucune activité. _____

**e)** Qui n'a fait que du sport ?
_____

**f)** Qui a fait les 3 activités ?
_____

**4** Qui suis-je ? Pars des informations du numéro 3.

**a)** J'ai fait exactement 2 activités. Je n'ai pas d'ordinateur._____

**b)** J'ai campé et j'ai joué à l'ordinateur. Je porte des lunettes.
_____

**c)** Je suis un garçon qui ne fait que du camping. _____

**d)** J'ai joué au soccer avec Scott et Florence. J'ai aussi navigué dans Internet, mais je n'ai pas campé.

**e)** Je me suis vraiment amusée en faisant les 3 activités.
_____

## 1 Grands manèges

Les touristes qui ont essayé au moins un des trois grands manèges de la fête foraine ont répondu à un questionnaire.

Consulte les données ci-dessous et remplis le diagramme qui résume les résultats de cette enquête.

- 11 ont essayé plus d'un manège.

- 4 ont au moins essayé la Roue et le Carrousel.

- 6 sont au moins montés dans l'Araignée et dans la Roue.

- 2 ont visité les trois manèges.

- Autant de touristes sont allés dans l'Araignée que dans la Roue.

- 15 sont montés dans le Carrousel.

## 2 Transport à Vennville

Le diagramme ci-dessous donne les résultats d'une enquête menée auprès de la population de Vennville. Parmi les personnes demeurant dans ce village, combien...

a) ont répondu au questionnaire ?
_____

b) ont une bicyclette ou une automobile ?
_____

c) ont une automobile, mais pas de bicyclette ? _____

d) ont une bicyclette ? _____

e) n'ont pas d'automobile ? _____

f) ont une automobile et une bicyclette ?
_____

g) n'ont aucun moyen de transport ?
_____

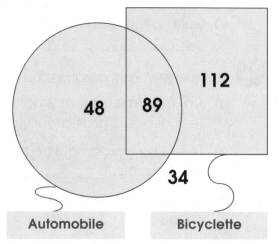

48     89     112

34

Automobile          Bicyclette

### 1 Choix santé

En vue de la fête de fin d'année, un sondage a été mené dans une classe de l'école Santé. Les élèves devaient choisir un ou deux fruits parmi trois suggestions.

Sondage

Voici les résultats de cette classe de 30 élèves.

- 10 ont choisi une orange.
- 18 ont choisi une banane.
- 10 ont choisi une pomme.
- 4 ont choisi une orange et une banane.
- 5 n'ont choisi qu'une orange.

**a)** Remplis le diagramme de Venn qui décrit les résultats de ce sondage.

**b)** Combien d'élèves n'ont choisi qu'un seul fruit ? \_\_\_\_\_

**c)** Il y a 300 élèves à l'école Santé. Combien de fruits de chaque sorte faut-il prévoir pour la fête ?

\_\_\_\_\_ oranges \_\_\_\_\_ bananes \_\_\_\_\_ pommes

### 2 Journée de la lecture

À la fin de la Journée mondiale de la lecture, 100 élèves d'une école secondaire sélectionnés au hasard ont bien voulu répondre à un sondage. Utilise les résultats résumés dans le diagramme de Venn ci-dessous pour faire le bilan de cette activité.

Selon toi, parmi les 2 000 élèves de l'école qui ont accepté de participer à la semaine de lecture, combien...

**a)** ont lu un roman et un magazine ? \_\_\_\_\_

**b)** ont lu seulement une bande dessinée ? \_\_\_\_\_

**c)** ont lu un roman mais pas de magazine ? \_\_\_\_\_

**d)** ont lu les trois genres de texte ? \_\_\_\_\_

**e)** ont lu plus d'un genre de texte ? \_\_\_\_\_

**f)** ont lu un roman et une bande dessinée, mais rien d'autre ? \_\_\_\_\_

**g)** ont lu seulement un genre de texte ? \_\_\_\_\_

**h)** ont lu un roman ? \_\_\_\_\_

Roman

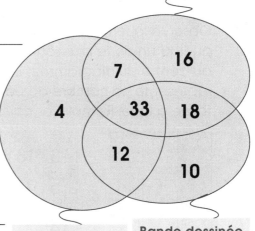

7   16

4   33   18

12

10

Magazine   Bande dessinée

## 1 Menus équilibrés

À la cafétéria, un repas complet comporte un seul mets de chacune des trois catégories du menu ci-dessous.

Combien de repas complets différents est-il possible de commander à la cafétéria ?

**Menu**

*Soupes*
- Pois
- Légumes
- Asperges
- Tomates

*Plats principaux*
- Jambon
- Pâtes
- Saumon
- Poulet

*Desserts*
- Yogourt
- Fruits
- Gâteau
- Tarte

**Démarche**

Réponse : _____

## 2 Carré magique sur mesure

Voici comment fabriquer un carré magique sur mesure. Tu connais probablement déjà ces diagrammes où la somme des nombres de chacune des colonnes, des rangées et des grandes diagonales est toujours la même.

Observe la formule ci-dessous. Demande à quelqu'un de te dire son nombre préféré. Écris-le au centre du diagramme. La variable $k$ représente ce nombre de départ. Le reste est facile à faire. Remplis les carrés magiques.

*Célèbre carré magique*

| $k+1$ | $k-4$ | $k+3$ |
|:---:|:---:|:---:|
| $k+2$ | $k$ | $k-2$ |
| $k-3$ | $k+4$ | $k-1$ |

**Formule**

| $k+1$ 18 | $k-4$ 13 | $k+3$ 20 |
|:---:|:---:|:---:|
| $k+2$ 19 | $k$ 17 | $k-2$ 15 |
| $k-3$ 14 | $k+4$ 21 | $k-1$ 16 |

**Exemple pour $k = 17$**

**a)**

|  |  |  |
|---|---|---|
|  |  |  |
|  |  |  |

$k = 30$

**b)**

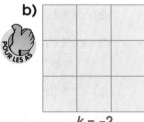

|  |  |  |
|---|---|---|
|  |  |  |
|  |  |  |

$k = -2$

## 1 Paiements à la chaîne

Pour remercier son troubadour, la reine Blanche
Mémoire propose de lui remettre pour chaque
jour de service un anneau de sa chaîne en or.
Pour pouvoir payer son dû, la reine doit couper
le plus petit nombre d'anneaux possible.
Le troubadour aura donc en main un anneau
le premier jour, deux le deuxième et ainsi
de suite jusqu'au dernier jour. Pour que
le compte soit bon, des échanges sont possibles.

**a)** Un seul anneau de la chaîne à sept anneaux
peut être coupé. Indique lequel et explique
comment faire les paiements pendant sept jours.

**b)** La longue chaîne permet de payer au
troubadour 23 jours de service. Trouve le plus
petit nombre d'anneaux qu'il faut couper
pour y parvenir. Explique comment procéder
pour les paiements.

## 2 Carrément carré

Dans la grille ci-contre, deux carrés sont considérés
comme différents s'ils occupent deux positions
différentes ou s'ils sont de grandeurs différentes.

**a)** Combien de carrés différents peux-tu
construire dans cette grille ? _____
Prépare un tableau pour noter
systématiquement tes trouvailles.

**b)** Imagine une méthode rapide permettant
de résoudre le même problème dans une grille
de 30 carrés sur 30.

*Quelques carrés
différents*

## 3 Boîte-à-poux

La compagnie Boîte-à-poux se spécialise dans
la fabrication de cylindres de carton pour loger
des *boules* ou des *sphères* de toutes tailles.
Quelles doivent être les dimensions de la paroi
rectangulaire pour fabriquer un cylindre
contenant parfaitement :

**a)** une balle de golf ? _____     **b)** une balle de tennis ? _____

**c)** un ballon de soccer ? _____  **d)** une boule de diamètre *d* ? _____

## Coeur brisé

Sans ajouter de nouvelles lignes ou subdivisions, colorie les fractions demandées dans le coeur ci-contre.

**a)** $\frac{1}{2}$ en rouge ;

**b)** $\frac{3}{8}$ en bleu ;

**c)** le reste, soit $\frac{\square}{\square}$ , en vert.

Si tu aimes les casse-tête du genre tangram, les pièces du coeur te permettent de créer de très jolis dessins.

## Qui perd double

Au jeu de QUI PERD DOUBLE, celui ou celle qui lance sa bille le plus loin du mur perd la partie. Il lui faut alors doubler le nombre de billes de chaque adversaire.

Après trois parties, trois joueurs ayant perdu chacun une fois ont un total de 40 billes chacun. Trouve le nombre de billes qu'avait chaque joueur au début de ces parties, sachant que :

- Danick a perdu la dernière partie ;

- Sandra était plus près du mur que Jason au cours de la deuxième partie.

Démarche

Réponse : _____

## Les visiteurs

Ma cousine Félicia passe chez moi tous les quatre jours.
Mon voisin Mohamed vient me saluer tous les six jours.
Grand-mère me rend visite tous les neuf jours.
Aujourd'hui, ces trois personnes sont venues chez moi.

Dans combien de jours me visiteront-elles de nouveau toutes les trois la même journée ?

Démarche

Réponse : _____

## ① Du balai !

Rebecca la sorcière est furieuse.

REBECCA — Quelqu'un a volé mon balai.
C'est certainement l'un de mes lutins
qui a fait le coup. Lutins, venez ici !

Aussitôt accourent Flip, Flap et Flop, ses trois
lutins espiègles. Rebecca les interroge.

FLIP — C'est Flop qui a volé ton balai,
sorcière de mon coeur.

FLAP — Ce n'est pas moi, belle Rebecca,
qui ai pris ton précieux balai.

FLOP — C'est moi le voleur, tu le sais bien...

Mais Rebecca se méfie. Elle connaît bien
ses lutins. Quand ils s'adressent à elle en
même temps, ils ne mentent jamais tous
les trois et jamais ils ne disent tous la vérité.

|  | Dit vrai | Dit faux |
|------|----------|----------|
| Flip |  |  |
| Flap |  |  |
| Flop |  |  |

Aide Rebecca à trouver le voleur de balai. Le voleur est _____.

## ② Chocolats

Une boîte de chocolats a une masse de 1 kg.
La boîte vide pèse 900 grammes de moins
que les chocolats.
Quelle est la masse de la boîte vide ?

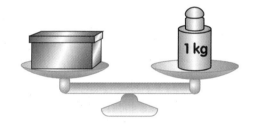

Démarche

Réponse : _____

## ③ Dominos 3

Les dominos illustrés ci-dessous représentent les nombres de 1 à 10.
Tu dois les disposer verticalement de façon à obtenir les sommes
inscrites dans le tableau-solution. Trouve l'arrangement qui respecte
toutes les données. Note aussi les sommes manquantes.

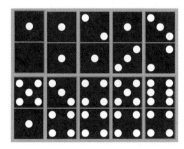

|  |  |  |  |  | 19 |
|--|--|--|--|--|----|
|  |  |  |  |  | 15 |
|  |  |  |  |  | 10 |
|  |  |  |  |  | __ |
| ____ | 3 | 8 | 13 | 15 | |

**1 Équilibres**

Toutes les balances illustrées ci-contre
sont en équilibre.
Quelle est la masse de chaque livre ?
Justifie toutes les étapes de ta solution.
Utilise des variables pour représenter
les valeurs inconnues.

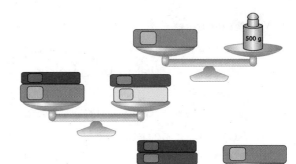

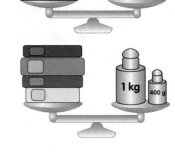

| Solution |
| --- |
|  |

**2 Ménager la chèvre et le chou**

Le conducteur d'un traversier
doit déposer, de l'autre côté
de la rivière, un loup, une chèvre
et un chou. Il ne peut laisser seuls
le loup et la chèvre, ni la chèvre
et le chou, car l'un dévorerait l'autre.
Puisqu'il n'a qu'une seule place
disponible pour chaque traversée,
cette mission lui semble impossible.

Aide le conducteur à planifier ses voyages
pour amener loup, chèvre et chou de l'autre
côté, sans incident.

**3 Club vidéo**

Dans un établissement de location de films, on peut
lire les propositions affichées ci-contre.

Quels conseils donnerais-tu à une personne indécise
face à ces deux offres ?

| NON-MEMBRES |
| --- |
| Prix d'un film : 4,50 $ |

| MEMBRES (1 an) |
| --- |
| Carte de membre : 20 $ |
| Prix d'un film : 2,50 $ |

| Solution |
| --- |
|  |

10 →←
9
8
7
6
5
4
3
2
1 →→

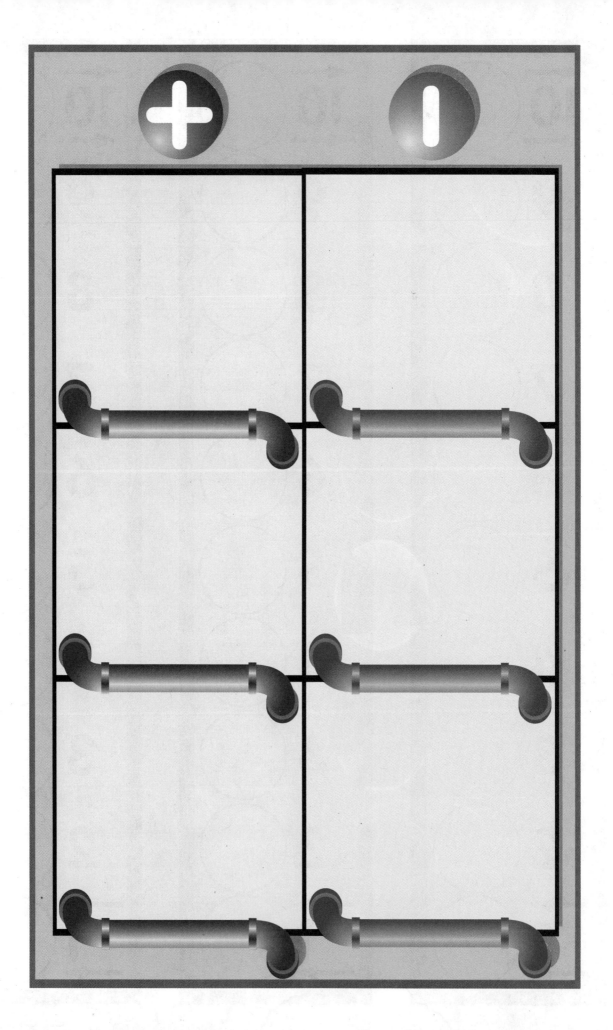